EASY TEST 보카콕 1

영단어를 쉽고도 빠르게, 그리고 잘 잊어버리지 않게 외우는 방법 없을까요?

1 말뭉치로 외우세요.

어휘는 의미 단락의 덩어리로 외우는 것이 좋습니다. 예를 들어 '피자를 먹다', '약을 먹다', '겁을 먹다'는 우리말로 모두 '먹다'이지만 영어에서는 'eat (have) pizza', 'take medicine', 'get scared'와 같이 각각 서로 다른 동사를 사용합니다. 그런데 eat만 따로, take만 따로 외운다면 '피자를 먹는다'는 표현을 할 때 어떤 동사가 적절한지 알 수 없습니다. 이처럼 말뭉치로 외우면 단어를 하나씩 외우는 것보다 훨씬 잘 외워지는 것은 물론이고, 단어의 사용법까지 함께 익힐 수 있답니다.

2 단어를 확장시켜 외우세요.

단어 하나를 외우면 최소 2~3개는 거저 외워진다는 것을 알고 있나요? 예를 들면 'bake(빵을 굽다)'라는 단어에 r을 붙이면 baker(제빵사), 또 거기에 y를 붙이면 bakery(빵집)가 됩니다. 이런 식으로 단어를 외울 때 그 단어의 파생어를 떠올리며 확장시켜 나가면 한꺼번에 여러 단어를 외울 수 있답니다.

3 어원과 함께 외우세요.

우리말에도 한자, 일본어, 영어 등 다양한 언어에서 영향을 받은 단어들이 많듯이, 영어에도 오랜 세월을 거쳐 오는 동안 많은 언어들의 영향을 받아서 그 흔적이 남아 있습니다. 예를 들어, 접두어 en- (em-)은 make(~하게 하다, ~하게 만들다)의 의미를 갖습니다. en + joy = 즐겁게 만들다 → 즐기다, en + courage = 용기를 갖게 하다 → 용기를 북돋다, 격려하다 등을 살펴보면 쉽게 이해할 수 있지요. 단어를 외울 때 그 어원을 눈여겨보면 생소했던 단어도 친숙하게 다가온답니다.

단어가 가진 핵심적인 뜻을 기억하세요.

한 단어가 여러 가지 뜻을 가지고 있어 우리를 힘들게 할 때가 많은데, 그럴 때는 그 단어의 핵심적인 뜻을 떠올려 보세요. 예를 들면, create라는 단어에는 '창조하다', '만들다', '창출하다'등의 뜻이 있습니다. 하지만 자세히 들여다보면 '무언가를 만들어낸다'는 핵심적인 뜻이 그 가운데에 있다는 것을 알 수 있습니다. 이렇듯 처음 외울 때는 핵심적인 뜻만이라도 알고 가고, 다음에 그 단어를 만나게 될 때 추가적인 뜻과 용법 등을 자세히 공부한다면 그 단어는 온전히 여러분의 단어가 된답니다.

5 오감을 동원하여 외우세요.

한 연구 조사에 따르면 눈으로 보고 쓰면서 외우는 것보다 소리로 듣고 스스로 말을 해 보거나 동작을 하면서 외울 때 뇌의 여러 부분이 자극을 받아 기억의 지속 시간이 길어진다고 합니다. 여러분도 단어를 외울 때 큰 소리로 따라 읽어 보거나, 동사를 외울 때 그 동작을 직접 해 보는 등 적극적으로 외워보세요. 단어 고지의 탈환이 눈앞에 보일 것입니다.

(꿈틀 홈페이지 www.ggumtl.co.kr에서 원어민의 음성으로 녹음된 MP3 파일을 다운 받거나 책 속의 QR코드를 활용하여 공부해 보세요!)

6 나만의 단어장을 만드세요.

자신만의 손때 묻은 단어장을 만들어두면 단어장에 대한 애정도 생기고 그만큼 단어 공부에도 도움이 많이 됩니다. 잘 안 외워지는 단어는 자기만의 방식으로 표시를 해 보세요. 가령 형광펜이나 색연필 등으로 밑줄을 긋는다든지 체크를 한다든지 말이죠. 한번 표시함으로써 머릿속에 깊이 각인시키는 효과를 낼 수 있습니다. 또한 단어장에 추가로 예문을 적어보는 것도 좋습니다. 이러한 메모들이 차곡차곡 쌓이면 그 무엇과도 바꿀 수 없는 나만의 귀중한 단어장이 완성될 거예요.

학습 계획표 Study Plan

12주 계획표

▶ 중학교 필수 어휘를 12주 안에 차근차근 학습하고 싶은 학생에게 추천하는 계획표

	1일차	2일차	3일차	4일차	5일차	6~7일차
1주차	Day 01	Day 02	Day 03	Day 04	Day 05	Review, 복습
2주차	Day 06	Day 07	Day 08	Day 09	Day 10	Review, 복습
3주차	Day 11	Day 12	Day 13	Day 14	Day 15	Review, 복습
4주차	Day 16	Day 17	Day 18	Day 19	Day 20	Review, 복습
5주차	Day 21	Day 22	Day 23	Day 24	Day 25	Review, 복습
6주차	Day 26	Day 27	Day 28	Day 29	Day 30	Review, 복습
7주차	Day 31	Day 32	Day 33	Day 34	Day 35	Review, 복습
8주차	Day 36	Day 37	Day 38	Day 39	Day 40	Review, 복습
9주차	Day 41	Day 42	Day 43	Day 44	Day 45	Review, 복습
10주차	Day 46	Day 47	Day 48	Day 49	Day 50	Review, 복습
11주차	Day 51	Day 52	Day 53	Day 54	Day 55	Review, 복습
12주차	Day 56	Day 57	Day 58	Day 59	Day 60	Review, 복습

6주 계획표

▶ 중학교 필수 어휘를 6주 안에 빠르게 정리하고 싶은 학생에게 추천하는 계획표

	1일차	2일차	3일차	4일차	5일차	6~7일차
1주차	Day 01-02	Day 03-04	Day 05, Review	Day 06-07	Day 08-09	Day 10, Review
2주차	Day 11-12	Day 13-14	Day 15, Review	Day 16-17	Day 18-19	Day 20, Review
3주차	Day 21-22	Day 23-24	Day 25, Review	Day 26-27	Day 28-29	Day 30, Review
4주차	Day 31-32	Day 33-34	Day 35, Review	Day 36-37	Day 38-39	Day 40, Review
5주차	Day 41-42	Day 43-44	Day 45, Review	Day 46-47	Day 48-49	Day 50, Review
6주차	Day 51-52	Day 53-54	Day 55, Review	Day 56-57	Day 58-59	Day 60, Review

보카콕 학습 방법

STEP 1 만화와 삽화, 예문을 통해 표제어를 학습하고, MP3 파일을 들으면서 발음을 확인해 봅니다. Day 학습이 끝나면 Wrap-up Test를 통해 그날 배운 어휘를 점검하고, 암기한 어휘는 첫 번째 체크 박스에 표시 ☑☐ 합니다.

STEP 2 5일 동안 학습한 분량의 어휘를 Review Test를 통해 반복해서 확인합니다. 완벽하게 암기한 어휘는 두 번째 체크박스에 표시 ☑☑하고, 아직 외우지 못한 어휘들을 복습합니다.

STEP 3 중학교 학생이라면 반드시 알아야 하는 내용이 담긴 Zoom In을 학습함으로써 어휘 실력을 한 단계 업그레이드합니다.

발음기호 Phonetic Symbols

❶ 자음

▶ 유성자음 발음할 때 목에서 떨림이 느껴지는 자음이에요.

구분	[b]	[d]	[m]	[n]	[r]
소리	ㅂ	ㄷ	ㅁ	ㄴ	ㄹ
구분	[l]	[z]	[ʒ]	[dʒ]	[ð]
소리	ㄹ	ㅈ	쥐	쮜	드
구분	[g]	[v]	[h]	[ŋ]	[j]
소리	ㄱ	ㅂ	ㅎ	(받침) ㅇ	이

▶ 무성자음 발음할 때 목에서 떨림이 느껴지지 않는 자음이에요.

구분	[p]	[f]	[θ]	[s]	[ʃ]
소리	ㅍ	ㅍ/ㅎ	쓰	ㅅ	쉬
구분	[k]	[t]	[tʃ]		
소리	ㅋ	ㅌ	취		

❷ 모음

구분	[a]	[e]	[i]	[o]	[u]
소리	ㅏ	ㅔ	ㅣ	ㅗ	ㅜ
구분	[æ]	[ʌ]	[ɔ]	[ə]	[ɛ]
소리	ㅐ	ㅓ	ㅗ/ㅓ	ㅓ	ㅔ

EASY TEST
보카콕 1

교재 개발에 도움을 주신 선생님들께 감사드립니다.

권익재 대구	김광수 수원	김명선 용인	김문성 부산
김용수 광주	김정곤 서울	김정욱 서울	김정현 시흥
류헌규 서울	명가은 서울	박정호 서울	박창욱 부산
반정란 인천	방성모 대구	서동준 산본	송수아 보령
양주영 천안	유정인 대전	이광현 해남	이다솜 부천
이장령 창원	이정민 경기	이창녕 수원	이충기 화성
이헌승 서울	임민영 서울	임지혜 거제	장미연 경기
정도영 인천	정용균 전주	정윤슬 대구	최보은 서울

EASY TEST 보카콕 1

구성과 특징

007 **important** [impɔ́ːrtənt]
- 형 중요한, 소중한 (= precious)
- Love is important in our lives.
- 사랑은 우리의 삶에 있어서 ______ 하다.
- ✚ importance 명 중요성
- ↔ unimportant 형 중요치 않은

008 **save** [seiv]
- 동 절약하다
- We have to save energy.
- 우리는 에너지를 ______ 해야 한다.
- ↔ spend 동 소비하다

009 **active**
- 형 활동적인, 활발한 (= energetic)

필수 중등 어휘 수록

- 중학교 1학년 교과서를 분석하여 빈도수 높고 꼭 알아야 하는 어휘 900개를 표제어로 선정
- 어휘별 체크박스 ☑☐를 활용한 체계적인 학습 및 복습 가능
- 원어민의 음성으로 녹음된 표제어와 예문으로 정확한 발음 익히기

Day 01

- 부 보통, 평상시에
- Mina usually plays the piano after school.
- 미나는 ______ 방과 후에 피아노를 친다.
- ✚ usual 형 보통의, 평상시의
- ↔ unusually 부 유별나게

- 명 주
- My family is going to go hiking this week.
- 우리 가족은 이번 ______ 에 하이킹을 갈 것이다.
- ✚ weekend 명 주말
- weekday 명 평일

1,300개 이상의 어휘 학습

- 표제어의 유의어, 반의어, 숙어, 파생어 등을 수록하여 총 1,300개 이상의 어휘 학습 가능
- 실용적이고 다양한 주제의 예문을 통해 어휘의 쓰임새 쉽게 파악

재미있게 외워지는 암기 방식

- 표제어와 함께 제시되는 삽화와 사진 등 다양한 시각 자료로 학습 흥미 유발
- 연상 작용을 통한 효율적인 암기 방법 적용
- 표제어와 예문이 녹음된 듣기 파일 QR코드 지원

Features

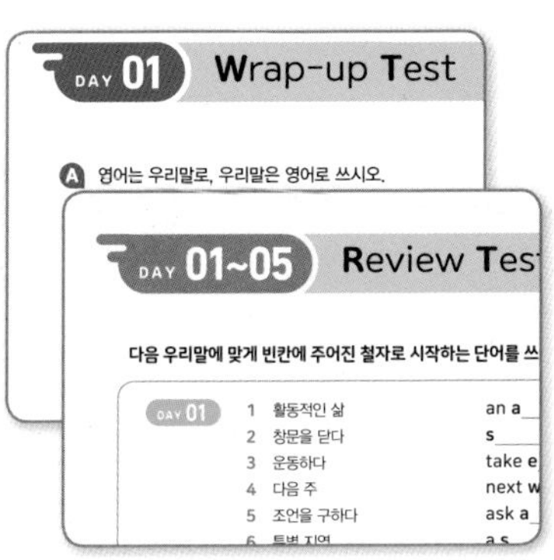

다양한 내신 대비 TEST

- Wrap-up Test와 Review Test를 통해 학습한 어휘 점검
- 내신 시험을 대비한 영영풀이, 유의어, 반의어 등 다양한 종류의 문제 수록
- 원어민이 들려주는 받아쓰기로 스스로 학습

어휘 학습에 유용한 TIPS

- Get More와 Zoom In에 영어 어휘 학습에 유용한 다양한 내용 수록
- 함께 학습하면 어휘 실력뿐만 아니라 전반적인 영어 실력이 향상

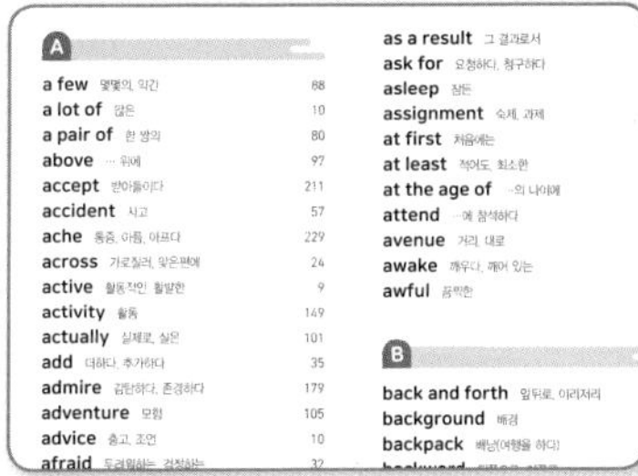

나만의 미니 사전 INDEX

- 어휘 뜻과 수록된 페이지 표기
- 궁금한 어휘 바로 찾아 보기 가능
- 따로 뜯어서 나만의 미니 사전으로 활용 가능

★ 홈페이지에서 다양한 학습 자료를 무료로 다운받으실 수 있습니다.[www.ggumtl.co.kr]

① 5종의 추가 테스트지 제공 (원어민 받아쓰기 테스트지 3종 + 철자쓰기 테스트지 2종)
② 표제어와 예문이 녹음된 MP3 파일 제공
③ 표제어 리스트 제공

차례

Part Ⅰ 빈출 어휘로 내신 잡기

일러두기 이 책에서 사용된 기호

- 명 명사 (사람, 사물 등 어떤 대상을 나타내는 단어)
- 동 동사 (주어의 동작이나 상태를 나타내는 단어)
- 형 형용사 (명사의 성질, 모양, 성격 등을 나타내는 단어)
- 대 대명사 (앞서 나온 명사의 중복 쓰임을 피하기 위해 대신해서 쓰는 단어)
- 부 부사 (동사, 형용사, 부사 등을 꾸며주는 단어)
- 전 전치사 (명사나 대명사 앞에 위치하여 시간, 장소, 이유, 방법 등을 나타내는 단어)
- 접 접속사 (단어와 단어, 구와 구, 문장과 문장 등을 연결해 주는 단어)
- 조 조동사 (다른 동사 앞에 쓰여서 그 동사에 어떤 특정한 의미를 보태 주는 단어)
- ✚ 동의어 및 주요 파생어 ↔ 반의어

Contents

Part Ⅱ 필수 어휘로 내신 다지기

Part Ⅲ 놓치기 쉬운 어휘 챙기기

빈출 어휘로

내신 잡기

Day 01~30

DAY 01

MP3 파일을 들으면서
단어를 따라 읽어보세요.

---

001 □□ **exercise**
[éksərsàiz]

exercise bicycle
운동용 자전거

동 운동하다
명 운동

Exercise every day.
매일 ______.

발음주의

002 □□ **thing**
[θiŋ]

명 물건, 사물 (= object)

We should recycle used **things**.
우리는 중고 ______들을 재활용해야 한다.

발음주의

003 □□ **shut**
[ʃʌt]

shut – shut – shut

동 …을 닫다 (= close), 닫히다

Would you **shut** the door?
문을 ______ 주시겠어요?

↔ open 동 …을 열다, 열리다

004 □□ **usually** [jú:ʒuəli]

부 보통, 평상시에

Mina **usually** plays the piano after school.
미나는 ______ 방과 후에 피아노를 친다.

+ usual 형 보통의, 평상시의
↔ unusually 부 유별나게

005 □□ **week** [wi:k]

weekend
주말

명 주

My family is going to go hiking this **week**.
우리 가족은 이번 ______ 에 하이킹을 갈 것이다.

+ weekend 명 주말
weekday 명 평일

006 □□ **also** [ɔ́:lsou]

부 또한, 역시

I can swim. I can **also** ski.
나는 수영을 할 수 있다. 스키 ______ 탈 수 있다.

007 □□ **important** [impɔ́:rtənt]

형 중요한, 소중한 (= precious)

Love is **important** in our lives.
사랑은 우리의 삶에 있어서 ______ 하다.

+ importance 명 중요성
↔ unimportant 형 중요치 않은

008 □□ **save** [seiv]

동 절약하다

We have to **save** energy.
우리는 에너지를 ______ 해야 한다.

↔ spend 동 소비하다

009 □□ **active** [ǽktiv]

act[do]+ive
…을 행하는 → 활동적인

형 활동적인, 활발한 (= energetic)

He is very **active** in English class.
그는 영어 수업 때 매우 ______.

+ activity 명 활동, 활발

010 **special** [spéʃəl]

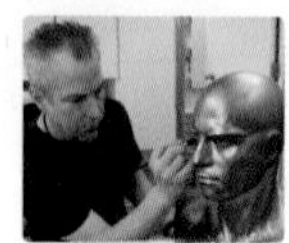

special makeup
특수 분장

형 특별한 (= especial), 전문의

Today is a **special** day for me.
오늘은 나에게 ______ 날이다.

↔ common 형 평범한

011 **advice** [ædváis]

명 충고, 조언 (= guidance)

I'll give you some **advice**.
내가 너에게 몇 가지 ______을 해 줄게.

+ advise 동 조언하다

012 **during** [djúəriŋ]

전 … 동안

Minho was painting **during** the night.
민호는 밤새 ______ 그림을 그리고 있었다.

013 **look at**

…을 보다

Look at the blue sky!
파란 하늘을 ______!

014 **a lot of**

많은 (= lots of)

There are **a lot of** parks in London.
런던에는 ______ 공원들이 있다.

015 **be good at**

…을 잘하다

Park Jisung **is good at** soccer.
박지성은 축구를 ______.

↔ be poor at …에 서툴다

Get More save의 다양한 뜻

1 동 저축하다
I **saved** my money to buy a car.
나는 차를 사기 위해 돈을 모았다.

2 동 구조하다
He **saved** her life.
그는 그녀의 생명을 구해 주었다.

DAY 01 Wrap-up Test

ANSWERS p. 274

A 영어는 우리말로, 우리말은 영어로 쓰시오.

1	advice	________	6	운동, 운동하다	________
2	save	________	7	…을 닫다, 닫히다	________
3	week	________	8	물건, 사물	________
4	a lot of	________	9	활동적인, 활발한	________
5	look at	________	10	…을 잘하다	________

B 빈칸에 알맞은 단어를 [보기]에서 골라 쓰시오. (필요시 형태를 고칠 것)

보기	special	during	usually	important	also

11 I ________ get up at 7 o'clock.
나는 보통 7시에 일어난다.

12 I like sports. I ________ like music.
나는 스포츠를 좋아한다. 또한 음악도 좋아한다.

13 Hanji is a(n) ________ kind of Korean paper.
한지는 특별한 종류의 한국의 종이이다.

14 He is a very ________ person to everyone.
그는 모든 사람들에게 매우 중요한 사람이다.

15 ________ Chuseok, I'm going to visit my grandmother.
추석 동안 나는 할머니를 방문할 것이다.

C 설명하는 단어를 [보기]에서 골라 쓰시오.

보기	week	exercise	save	advice	active

16 A(n) ________ is a period of seven days.

17 If you ________ something, you don't waste it.

18 A(n) ________ person moves around and does a lot of things.

19 When you ________, you move your body to be healthy.

20 If you give someone ________, you tell them what they should do.

MP3 파일을 들으면서
단어를 따라 읽어보세요.

016 □□ **part**
[pɑːrt]

명 부분, 일부

The brain is a **part** of our body.
두뇌는 신체의 ______ 이다.

+ partial 형 부분적인

017 □□ **care**
[kɛər]

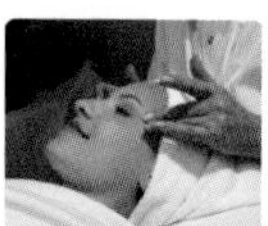

skin care
피부 관리

동 마음 쓰다
명 보살핌

I don't **care** whatever you eat.
네가 무엇을 먹든지 나는 ______ 않는다.

+ careful 형 조심스러운
carefully 부 조심스럽게

철자주의

018 □□ **language**
[lǽŋgwidʒ]

명 언어 (= tongue)

English is an international **language**.
영어는 국제적인 ______ 이다.

019 □□ **leave**
[liːv]
leave – left – left

동 출발하다, 떠나다 (= depart)

She will **leave** tomorrow.
그녀는 내일 ______ 것이다.

↔ arrive 동 도착하다

020 □□ **popular**
[pάpjulər]
popul[people]+ar
대중적인

형 유명한 (= well-known), 인기 있는 (= famous)

Kim Yuna is very **popular** all over the world.
김연아는 전세계적으로 매우 ______.

✚ popularity 명 인기

021 □□ **will**
[wil]

조 …할[일] 것이다 (= be going to)

I **will** finish this book today.
나는 오늘 이 책을 끝낼 ______.

022 □□ **believe**
[bəlíːv]

동 믿다 (= trust), 생각하다

I don't **believe** in ghosts.
나는 유령의 존재를 ______ 않는다.

✚ belief 명 믿음
believable 형 믿을 수 있는

023 □□ **culture**
[kΛ́ltʃər]

cultural heritage
문화 유산

명 문화 (= custom)

Korean **culture** is different from European **culture**.
한국의 ______ 는 유럽의 ______ 와 다르다.

✚ cultural 형 문화의

024 □□ **happen**
[hǽpən]

동 일어나다, 발생하다

Cheer up! It can **happen** to anyone.
힘내! 그것은 누구에게나 ______ 수 있는 일이야.

발음주의

025 □□ **luck** [lʌk]

good luck
행운

명 행운 (= chance)

Good **luck** to you!
______ 을 빕니다!

+ lucky 형 행운의, 운수 좋은

026 □□ **must** [mʌ́st]

조 …해야 한다 (= have to)

You **must** come back home.
너는 집으로 돌아 ______.

027 □□ **own** [oun]

형 자신의, 고유한

Korea has its **own** language, Hangeul.
한국은 ______ 언어인 한글이 있다.

028 □□ **each other**

each other
서로

(둘 사이에) 서로 서로

We exchanged gifts with **each other**.
우리는 선물을 ______ 주고받았다.

029 □□ **go -ing**

…하러 가다

Tony **goes swimming** on weekends.
Tony는 주말마다 수영을 ______.

030 □□ **have fun**

즐거운 시간을 보내다

I'm **having** a lot of **fun** here.
나는 여기에서 너무나 ______ 있다.

Get More leave의 다양한 뜻

1 동 남기다
Can I **leave** a message?
메시지를 남겨도 될까요?

2 동 …한 상태로 두다
She **left** the window open.
그녀는 창문을 열어 놓은 채로 두었다.

DAY 02 Wrap-up Test

ANSWERS p. 274

A 영어는 우리말로, 우리말은 영어로 쓰시오.

1	culture	____________	6	…해야 한다	____________
2	luck	____________	7	즐거운 시간을 보내다	____________
3	language	____________	8	자신의, 고유한	____________
4	go -ing	____________	9	…할 것이다	____________
5	each other	____________	10	믿다, 생각하다	____________

B 빈칸에 알맞은 단어를 [보기]에서 골라 쓰시오. (필요시 형태를 고칠 것)

보기	part	care	leave	popular	happen

11 Say good-bye when you ____________.
떠날 때는 안녕이라고 말하라.

12 What will ____________ in the future?
미래에 무슨 일이 일어날까?

13 Some kids don't ____________ about others.
몇몇 아이들은 다른 사람들을 신경 쓰지 않는다.

14 This lake is a ____________ of a national park.
이 호수는 국립 공원의 일부분이다.

15 Spaghetti is very ____________ in this country.
스파게티는 이 나라에서 매우 인기 있다.

C 설명과 일치하는 단어를 골라 ✓표시를 하시오.

16	liked or enjoyed by a lot of people	☐ popular	☐ happen
17	good things that happen by chance	☐ luck	☐ part
18	the words used by the people of a country or region	☐ care	☐ language
19	the beliefs, ways of life, or customs of countries or areas	☐ culture	☐ popular
20	to think that something is true, but not be sure	☐ leave	☐ believe

DAY 03

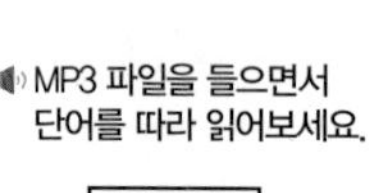

MP3 파일을 들으면서
단어를 따라 읽어보세요.

---

031 □□ **course** [kɔːrs]

course book
교과서

명 강좌, 수업 (= lesson)

I will take a computer **course**.
나는 컴퓨터 ______ 을 들을 것이다.

+ take a course 강의를 듣다

---

032 □□ **still** [stil]

부 여전히
형 고요한 (= silent)

It's September, but it's **still** hot.
9월이지만, ______ 날씨가 덥다.

---

033 □□ **subject** [sʌ́bdʒikt]

명 과목, 주제 (= topic)

Art is my favorite **subject**.
미술은 내가 가장 좋아하는 ______ 이다.

034 □□ **block**
[blak]

명 구획, 덩어리

Go straight one **block** and turn left.
곧장 한 ______ 가서 왼쪽으로 도세요.

035 □□ **grade**
[greid]

명 학년, 성적 (= mark)

I got a good **grade** in math.
나는 수학에서 좋은 ______ 을 받았다.

036 □□ **order**
[ɔ́:rdər]

동 주문하다
명 주문

May I take your **order**?
______ 하시겠어요?

발음주의

037 □□ **sign**
[sain]

sign language
수화

명 표지, 표시 (= mark); 손짓 (= gesture)

The **sign** says, "Don't pick the flowers."
저 ______ 에 꽃을 꺾지 말라고 적혀 있다.

✚ signal 명 신호

038 □□ **strange**
[stréindʒ]

형 이상한, 낯선

He heard a **strange** sound last night.
그는 지난밤에 ______ 소리를 들었다.

✚ stranger 명 이방인

039 □□ **along**
[əlɔ́:ŋ]

전 …을 따라서

She ran **along** the river.
그녀는 강을 ______ 달렸다.

040 □□ **contest**

[kántest]

beauty contest
미인대회

명 경연, 경쟁 (= competition)

Mina got first prize in the art **contest**.
미나는 미술 ______ 에서 1등을 차지했다.

---

041 □□ **everything**

[évriθìŋ]

대 모두, 무엇이든

I can do **everything**.
나는 ______ 할 수 있다.

---

042 □□ **interested**

[íntərèstid]

형 흥미를 가진

Jinho is **interested** in cooking.
진호는 요리에 ______.

+ interest 명 흥미
interesting 형 흥미로운

---

043 □□ **on the way to**

…로 가는 도중에

On the way to school, I saw a cute cat.
학교로 ______, 나는 귀여운 고양이 한 마리를 보았다.

---

044 □□ **take care of**

…을 돌보다 (= look after)

I have to **take care of** my pet dog.
나는 내 애완견을 ______ 한다.

---

045 □□ **after school**

방과 후에

He plays basketball **after school**.
그는 ______ 농구를 한다.

Get More sign *vs.* signature

1 **sign** 동 서명하다
sign the letter
편지에 서명하다

2 **signature** 명 서명
write one's **signature**
본인의 서명을 하다

DAY 03 Wrap-up Test

ANSWERS p. 274

A 영어는 우리말로, 우리말은 영어로 쓰시오.

1 after school ____________
2 everything ____________
3 along ____________
4 contest ____________
5 on the way to ____________
6 구획, 덩어리 ____________
7 …을 돌보다 ____________
8 흥미를 가진 ____________
9 표지, 표시 ____________
10 이상한, 낯선 ____________

B 빈칸에 알맞은 단어를 [보기]에서 골라 쓰시오. (필요시 형태를 고칠 것)

보기	course	still	subject	grade	order

11 I'm in seventh ____________.
나는 7학년(중학교 1학년)이다.

12 You are ____________ my best friend.
너는 여전히 나의 가장 친한 친구이다.

13 I take a Spanish ____________ every Saturday.
나는 토요일마다 스페인어 수업을 듣는다.

14 What are you going to ____________ in the restaurant?
너는 식당에서 무엇을 주문할 거니?

15 She teaches English, math, science and many other ____________.
그녀는 영어, 수학, 과학, 그리고 다른 많은 과목들을 가르친다.

C 설명하는 단어를 [보기]에서 골라 쓰시오.

보기	contest	subject	sign	block	strange

16 unusual and difficult to understand ____________
17 an area of land with streets in a town ____________
18 a game or match people try to win ____________
19 an area of knowledge that you study at school ____________
20 a symbol or message that gives information or instructions ____________

MP3 파일을 들으면서 단어를 따라 읽어보세요.

046 □□ **introduce** [ìntrədjúːs]

동 소개하다

My teacher **introduced** me to the students.

선생님이 나를 학생들에게 ______.

+ introduction 명 소개

047 □□ **newspaper** [njúːzpèipər]

명 신문

My sister reads **newspapers** to old people.

내 여동생은 노인들에게 ______을 읽어 드린다.

newspaper stand
신문 가판대

048 □□ **rule** [ruːl]

명 규칙 (= regulation), 규정

You must follow the school **rules**.

너는 학교 ______을 따라야 한다.

Day 04

049 taste
[teist]

동 …한 맛이 나다
명 맛 (= flavor), 미각 (= palate)

The orange really **tastes** sour.
그 오렌지는 정말로 신 ______.

+ tasty 형 맛있는

050 uniform
[júːnəfɔ̀ːrm]

명 제복, 유니폼

I wear a school **uniform**.
나는 ______ 을 입는다.

051 center
[séntər]

out of center
중심을 벗어난

명 중심 (= middle), 중앙

The vase is in the **center** of the table.
꽃병이 탁자 ______ 에 있다.

+ central 형 중심의

052 gift
[gift]

명 선물 (= present); 재능 (= talent)

This is a birthday **gift** for you.
이것은 너를 위한 생일 ______ 이야.

053 healthy
[hélθi]

형 건강한, 건강에 좋은

I hope you are always **healthy** and happy.
항상 ______ 고 행복하시길 바랍니다.

+ health 명 건강

철자주의

054 message
[mésidʒ]

text message
문자 메시지

명 메시지 (= note)

May I take your **message**?
______ 를 남기시겠어요?

055 **real**
□□
[ríːəl]

형 진짜의, 실제의 (= actual)

The fruits in the painting look **real**.
그 그림 속의 과일들이 ______ 처럼 보인다.

✚ reality 명 현실
really 부 정말로

056 **share**
□□
[ʃɛər]

동 나누다, 함께 쓰다
명 몫 (= lot)

Tom **shares** a bedroom with his brother.
Tom은 침실을 남동생과 ______.

057 **step**
□□
[step]

명 걸음 (= pace); 단계
동 밟다

You have to do these **steps** in order.
너는 이 ______ 들을 순서대로 해야 한다.

058 **be good for**
□□

…에 좋다

Beans **are good for** the brain.
콩은 두뇌 ______.

059 **find out**
□□

찾다, 발견하다 (= discover)

They **found** it **out** on the Internet.
그들은 그것을 인터넷에서 ______.

↔ lose 동 잃어버리다

060 **grow up**
□□

성장하다, 자라나다

When I **grow up**, I want to be a comedian.
나는 ______ 코미디언이 되고 싶다.

Get More **gift의 다양한 뜻**

1 명 선물, 경품
a wedding **gift** 결혼 선물

2 명 (타고난) 재능
a **gift** for music 음악적 재능

DAY 04 Wrap-up Test

ANSWERS p. 274

A 영어는 우리말로, 우리말은 영어로 쓰시오.

1	gift	________	6	메시지	________
2	uniform	________	7	신문	________
3	center	________	8	진짜의, 실제의	________
4	be good for	________	9	찾다, 발견하다	________
5	step	________	10	성장하다, 자라나다	________

B 빈칸에 알맞은 단어를 [보기]에서 골라 쓰시오. (필요시 형태를 고칠 것)

보기 healthy introduce gift taste rule

11 The pizza ________ too salty.
그 피자는 매우 짰다.

12 You have to play by the ________.
너는 규칙들에 따라 경기를 해야 한다.

13 Tom, I can ________ you to my uncle.
Tom, 내가 너를 우리 삼촌에게 소개시켜 줄 수 있어.

14 A(n) ________ life is very important for everyone.
건강한 삶은 모든 사람들에게 매우 중요하다.

15 We arrived at the airport and looked around the ________ shop.
우리는 공항에 도착해서 선물 가게를 둘러보았다.

C 괄호 안의 지시에 맞는 단어를 골라 ✔표시를 하시오.

16	gift (유의어)	□ present	□ presence
17	introduce (명사형)	□ introductive	□ introduction
18	reality (형용사형)	□ real	□ really
19	find out (반의어)	□ lose	□ loose
20	healthy (명사형)	□ healthful	□ health

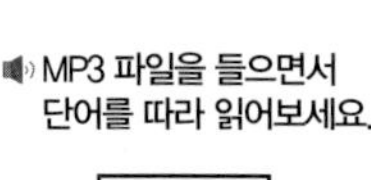

061 □□ **across** [əkrɔ́ːs]

go across the road
도로를 횡단하다

부 전 가로질러, 맞은편에

A boy swam **across** the Han River.
한 소년이 한강을 ______ 수영했다.

062 □□ **excited** [iksáitid]

exciting sport
신나는 스포츠

형 흥분된, 들뜬

I was **excited** at the soccer game.
나는 그 축구 경기에 ______.

+ exciting 형 신나는
 excite 동 흥분시키다, 자극하다

063 □□ **final** [fáinl]

fin[end]+al
최후의

형 최후의 (= last), 결국의

He is the **final** victor.
그는 ______ 승자이다.

+ finally 부 마침내

064 □□ **follow**
[fálou]

동 따르다, 쫓다 (= chase)

The general cried out, "**Follow** me!"
그 장군은 "나를 ______ !"고 외쳤다.

065 □□ **history**
[hístəri]

명 역사

We must know our **history** and culture.
우리는 우리의 ______ 와 문화를 알아야 한다.

+ historical 형 역사적인

066 □□ **ice**
[ais]

ice water
얼음물

명 얼음

Ice melts into water.
______ 은 녹아서 물이 된다.

+ icy 형 얼음의, 쌀쌀한

067 □□ **match**
[mætʃ]

명 경기, 시합 (= game)

I won the tennis **match**.
나는 테니스 ______ 에서 우승했다.

068 □□ **nature**
[néitʃər]

명 자연

The photographer usually takes pictures of **nature**.
그 사진가는 주로 ______ 의 사진을 찍는다.

+ natural 형 자연의, 꾸밈없는

069 □□ **report**
[ripɔ́ːrt]

weather report
기상 예보

명 보고서
동 보고하다, 알리다

I finally finished my **report**.
나는 마침내 나의 ______ 를 끝냈다.

+ reporter 명 기자, 리포터

발음주의

070 □□ **neighbor** [néibər]

명 이웃, 이웃 사람

A good **neighbor** is better than a brother far off.

절친한 ______ 이 멀리 떨어진 형제보다 낫다.

✚ neighborhood 명 근처, 이웃사람들

071 □□ **shape** [ʃeip]

명 모양, 형태 (= figure)

The **shape** of Italy is like a boot.

이탈리아는 장화 ______ 과 비슷하다.

072 □□ **simple** [símpl]

형 간단한 (= easy), 단순한 (= plain)

This is not a **simple** problem.

이것은 ______ 문제가 아니다.

↔ complex 형 복잡한

073 □□ **in front of**

… 앞에

Let's meet **in front of** the school gate.

학교 정문 ______ 만나자.

↔ behind 전 … 뒤에

074 □□ **live in**

…에 살다

My uncle **lives in** Canada.

우리 삼촌은 캐나다에 ______.

075 □□ **pick up**

줍다, 집어 올리다

They **picked up** garbage on the street.

그들은 거리에 있는 쓰레기를 ______.

Get More shape과 관련된 단어

circle 원	rectangle 직사각형
triangle 삼각형	square 정사각형
pentagon 오각형	hexagon 육각형

DAY 05 Wrap-up Test

ANSWERS p. 275

A 영어는 우리말로, 우리말은 영어로 쓰시오.

1 final ____________
2 history ____________
3 neighbor ____________
4 match ____________
5 in front of ____________
6 따르다, 쫓다 ____________
7 보고하다, 알리다 ____________
8 얼음 ____________
9 …에 살다 ____________
10 줍다, 집어 올리다 ____________

B 빈칸에 알맞은 단어를 [보기]에서 골라 쓰시오. (필요시 형태를 고칠 것)

보기	across	excited	shape	simple	report

11 The cookies are different ____________.
쿠키는 다양한 모양이다.

12 She ____________ the weather on weekends.
그녀는 주말마다 날씨를 보도한다.

13 He ate a(n) ____________ lunch of ham sandwich.
그는 햄 샌드위치로 간단한 점심 식사를 했다.

14 I was ____________ about the wonderful news.
나는 굉장한 뉴스에 흥분했다.

15 There is a bridge ____________ the river in the city.
그 도시에는 강을 가로지르는 다리가 하나 있다.

C 설명하는 단어를 [보기]에서 골라 쓰시오.

보기	history	ice	neighbor	nature	match

16 frozen water ____________
17 someone who lives near you ____________
18 the events that happened in the past ____________
19 a game of tennis, football or some other sports ____________
20 all the things that are not made by people, such as the sea or mountains ____________

DAY 01~05 Review Test

ANSWERS p. 275

다음 우리말에 맞게 빈칸에 주어진 철자로 시작하는 단어를 쓰시오.

DAY 01

1 활동적인 삶 an a________ life
2 창문을 닫다 s________ the window
3 운동하다 take e________
4 다음 주 next w________
5 조언을 구하다 ask a________
6 특별 지역 a s________ area

DAY 02

7 몸짓 언어 body l________
8 문화 충격 c________ shock
9 신을 믿다 b________ in God
10 행운 good l________
11 인기 가수 a p________ singer
12 내 소유의 가게 my o________ shop

DAY 03

13 강좌를 듣다 take the c________
14 좋은 성적 a good g________
15 이상한 이야기 a s________ story
16 교통 표지 a traffic s________
17 음악 경연 대회 a music c________
18 주문을 받다 take an o________

DAY 04

19 원칙으로서, 일반적으로 as a r________
20 교복 a school u________
21 신문 가판대 a n________ stand
22 달콤한 맛 a sweet t________
23 게시판 a m________ board
24 선물을 받다 receive a g________

DAY 05

25 강을 가로질러 a________ the river
26 결승전 the f________ round
27 역사에 남을 만한 일을 하다 make h________
28 (승패를 가르는) 1점 m________ point
29 간단한 문제 a s________ question
30 자연의 법칙 the law of n________

Zoom In

기본 전치사 01 to

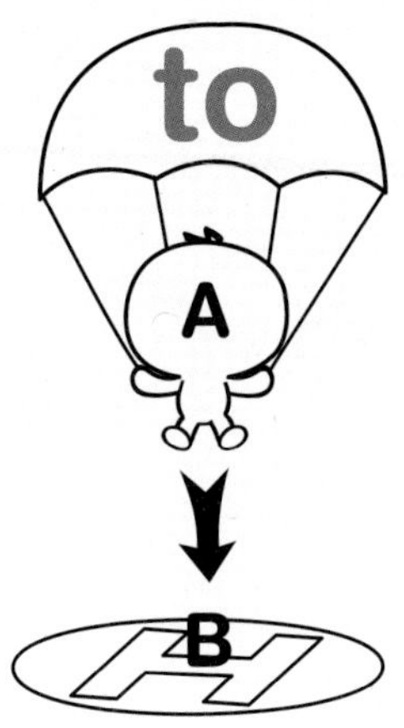

전치사 살펴보기

전치사 to는 기본적으로 '…로, …에게'라는 뜻을 갖고 있습니다.

방향(…로)	대상(…에게)
to town 마을로	**to** me 나에게
to Seoul 서울로	**to** you 너에게
to school 학교로	**to** Mom 엄마에게
to Mars 화성으로	**to** everyone 모두에게
to the church 교회로	**to** my uncle 나의 삼촌에게

문장 속에서 보는 전치사

How can I get **to** the church? 교회로 어떻게 가나요?

He is important **to** everyone. 그는 모두에게 중요한 사람이다.

Santa Clause is coming **to** town. 산타할아버지가 마을로 온다.

My brother gave flowers **to** her. 오빠는 그녀에게 꽃을 주었다.

The spaceship is flying **to** Mars. 우주선이 화성으로 날아가고 있다.

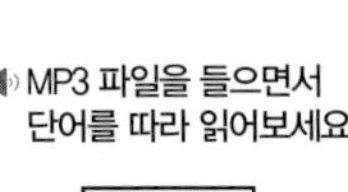
MP3 파일을 들으면서
단어를 따라 읽어보세요.

076 **someone** [sʌ́mwʌ̀n]

대 누군가, 어떤 사람 (= somebody)

There is **someone** at the door.
문 앞에 ______ 있다.

077 **upset** [ʌpsét]

형 화난 (= angry), 당황한

I'm really **upset**.
나는 정말 ______.

078 **cell phone** [sélfòun]

명 휴대전화 (= mobile phone)

I talked to her on my **cell phone**.
나는 ______로 그녀와 통화했다.

079 **useful** [jú:sfəl]

형 유용한, 쓸모 있는

Computers are **useful** in finding information.
컴퓨터는 정보를 찾는 데 ______하다.

+ use 동 이용하다
↔ useless 형 쓸모 없는

080 □□ **else** [els]

형 다른, 그 밖의 (= other)
부 그밖에, 달리

Would you like anything **else**?
어떤 것을 원하세요?

+ someone else 어떤 다른 사람

081 □□ **mind** [maind]

mind training
정신 수양

명 마음, 정신 (= spirit)
동 신경 쓰다 (= care)

She has a sound **mind**.
그녀는 건강한 을 가지고 있다.

082 □□ **prize** [praiz]

take a prize
상을 받다

명 상 (= award), 상품

He took the **prize** in the dance contest.
그는 댄스 경연 대회에서 을 탔다.

083 □□ **proud** [praud]

형 자랑스러운

I'm **proud** of you!
나는 네가 !

+ pride 명 자존심, 긍지

발음주의

084 □□ **through** [θruː]

through the tunnel
터널을 통해

전 …을 통하여, …을 지나서

The smell of roses came **through** the window.
장미 향기가 창문을 들어왔다.

085 □□ **without** [wiðáut]

전 … 없이

We can't live **without** air.
우리는 공기 살 수 없다.

↔ with 전 …와 함께

086 □□ **afraid**
[əfréid]

형 두려워하는 (= scared), 걱정하는

The baby is **afraid** of big bear dolls.
그 아기는 큰 곰인형을 ______ 한다.

+ be afraid of …을 두려워하다

087 □□ **festival**
[féstəvəl]

music festival
음악 축제

명 축제, 잔치 (= party)

The Tomato War **Festival** in Spain is very interesting.
스페인의 토마토 전쟁 ______ 는 매우 재미있다.

+ festive 형 축제의, 흥겨운

088 □□ **put on**

입다 (= wear), 착용하다

It's cold outside, so **put on** your coat.
밖이 추우니 코트를 ______.

↔ take off 벗다

089 □□ **take a picture**

사진을 찍다

I **took a picture** of my pet.
나는 내 애완동물의 ______.

090 □□ **wait for**

…을 기다리다 (= await)

Time and tide **wait for** no man.
세월은 사람을 ______ 않는다.

Get More '착용'을 의미하는 put on

1 (신발을) 신다
put on boots
부츠를 신다

2 (모자를) 쓰다
put on a straw hat
밀짚모자를 쓰다

3 (액세서리를) 끼다
put a ring **on**
반지를 끼다

DAY 06 Wrap-up Test

ANSWERS p. 275

A 영어는 우리말로, 우리말은 영어로 쓰시오.

1 prize ____________
2 proud ____________
3 upset ____________
4 cell phone ____________
5 useful ____________
6 축제, 잔치 ____________
7 …을 기다리다 ____________
8 사진을 찍다 ____________
9 …을 통하여, …을 지나서 ____________
10 입다, 착용하다 ____________

B 빈칸에 알맞은 단어를 [보기]에서 골라 쓰시오. (필요시 형태를 고칠 것)

보기	mind	else	someone	without	afraid

11 He is ____________ of dogs.
그는 개를 두려워한다.

12 Would you ____________ if I smoke?
제가 담배를 좀 피워도 될까요?

13 There is no one ____________ to come.
그밖에 올 사람은 아무도 없다.

14 ____________ called my name in the dark.
어둠 속에서 누군가 내 이름을 불렀다.

15 They worked ____________ a break until 6 o'clock.
그들은 6시까지 휴식 시간 없이 일했다.

C 의미가 통하도록 빈칸에 알맞은 단어를 [보기]에서 골라 쓰시오.

보기	upset	through	useful	festival	prize

16 A(n) ____________ is a series of events such as music concerts.
17 If something is ____________, you can use it to do something.
18 When you are ____________, you are unhappy and disappointed.
19 A(n) ____________ is money or something that is given to someone for doing good work.
20 If you move ____________ a hole or pipe, it means you move from one side to the other side of it.

MP3 파일을 들으면서
단어를 따라 읽어보세요.

091 □□ **climb** [klaim]

climb the mountain
등산하다

동 오르다, 등반하다

A Korean man **climbed** to the top of Mt. Everest.

한 한국 남성이 에베레스트 산 정상에 ______.

+ climber 명 등산가

092 □□ **even** [íːvən]

부 심지어, … 조차도

They are grand and **even** beautiful.

그것들은 웅장하고 ______ 아름답기까지 하다.

093 □□ **forest** [fɔ́ːrist]

Amazon Rain Forest
아마존 열대 우림

명 숲, 산림

Forests give people fresh air.

______은 사람들에게 신선한 공기를 제공해 준다.

Day 07

094 member
[mémbər]

명 회원, 일원

She is a member of the baseball club.
그녀는 그 야구 클럽의 ______ 이다.

095 set
[set]

a set of furniture
가구 한 벌

명 한 벌, 세트

My mother bought a set of nice dishes yesterday.
엄마는 어제 한 ______ 의 멋진 접시를 샀다.

096 shower
[ʃáuər]

명 샤워; 소나기

I take a shower every day.
나는 매일 ______ 를 한다.

강세주의
097 village
[vílidʒ]

명 마을, 촌락

The elf village was really beautiful in the movie.
그 영화에서 요정의 ______ 은 정말로 아름다웠다.

098 stick
[stik]

candlestick
촛대

명 막대기 (= pole), 지팡이

She tied the flag to the stick.
그녀는 깃발을 ______ 에 묶었다.

099 add
[æd]

동 더하다, 추가하다

Add milk to black tea.
우유를 홍차에 ______.

+ addition 명 첨가, 추가

100 □□ **behind**
[biháind]

전 부 … 뒤에 (= back)

Please stand **behind** the yellow line.
노란선 ______ 서 주세요.

101 □□ **cheer**
[tʃiər]

cheer leader
치어리더

동 응원하다, 기운을 북돋우다(= encourage)

They **cheered** for the players.
그들은 그 선수들을 ______.

+ cheerful 형 명랑한

102 □□ **ever**
[évər]

부 언젠가, 이제까지

Does it **ever** snow in deserts?
______ 사막에 눈이 온 적이 있는가?

103 □□ **all the time**

언제나 (= always), 줄곧

She sings a song **all the time** when she is happy.
그녀는 행복할 때 ______ 노래를 부른다.

104 □□ **at least**

적어도, 최소한

At least 20 people were hurt in the accident.
______ 20명이 그 사고에서 다쳤다.

105 □□ **be from**

… 출신이다 (= come from)

Ted **is from** Sydney, Australia.
Ted는 호주의 시드니 ______.

Get More even의 다양한 뜻

1 형 평평한
an **even** road
평탄한 도로

2 형 짝수의(↔ odd 형 홀수의)
an **even** number
짝수

DAY 07

Wrap-up Test

ANSWERS p. 275

A 영어는 우리말로, 우리말은 영어로 쓰시오.

1	climb	______	6	… 출신이다	______
2	stick	______	7	한 벌, 세트	______
3	shower	______	8	언제나, 줄곧	______
4	member	______	9	더하다, 추가하다	______
5	at least	______	10	응원하다, 기운을 북돋우다	______

B 빈칸에 알맞은 단어를 [보기]에서 골라 쓰시오. (필요시 형태를 고칠 것)

보기 forest village ever behind even

11 He got lost in a(n) ______.
그는 숲에서 길을 잃었다.

12 Have you ______ been to Australia?
너는 이제까지 호주에 가 본 적이 있니?

13 The post office is ______ the building.
우체국은 그 빌딩 뒤에 있다.

14 The bird can dance. It can ______ speak.
그 새는 춤을 출 수 있다. 심지어 말할 수도 있다.

15 My uncle lives in a(n) ______ near New York.
우리 삼촌은 뉴욕 근처의 한 마을에서 산다.

C 설명하는 단어를 [보기]에서 골라 쓰시오.

보기 forest stick cheer climb member

16 a long and thin piece of wood ______

17 a person or thing that belongs to a group ______

18 a large area where a lot of trees grow together ______

19 to shout loudly to encourage someone in a game ______

20 to move toward the top of a mountain, tree or ladder ______

MP3 파일을 들으면서 단어를 따라 읽어보세요.

---

106 □□ **partner** [pɑ́ːrtnər]

명 상대, 짝 (= mate)

Play the game with your **partner**.

너의 ______ 와 게임을 하라.

partnership
동반자 관계

---

107 □□ **twice** [twais]

부 두 번 (2회)

Sora visits her grandmother **twice** a month.

소라는 한 달에 ______ 할머니 댁을 방문한다.

---

108 □□ **safe** [seif]

형 안전한

I wish you a **safe** trip.

______한 여행을 빕니다.

safety belt
안전벨트

+ safety 명 안전
↔ dangerous 형 위험한

Day 08

109 □□ **meal**
[miːl]

evening meal
저녁 식사

명 한 끼 식사

I always have three meals a day.
나는 항상 하루에 세 ________ 를 먹는다.

+ mealtime 명 식사 시간

---

110 □□ **score**
[skɔːr]

명 득점, 점수

The score was three to zero in the football game.
그 축구 경기의 ________ 는 3대 0이었다.

---

111 □□ **cross**
[krɔːs]

동 건너다, 가로지르다

Let's cross the street at the crosswalk.
횡단보도에서 길을 ________.

---

112 □□ **solve**
[sɑlv]

동 풀다, 해결하다

I solved all the riddles.
나는 모든 수수께끼를 ________.

+ solution 명 해결, 해결책

---

113 □□ **focus**
[fóukəs]

동 집중하다
명 초점

Focus on what your teacher says.
선생님 말씀에 ________.

발음주의

114 □□ **foreign**
[fɔ́ːrən]

foreign language
외국어

형 외국의

Foreign names are easily forgotten.
________ 이름은 쉽게 잊혀진다.

+ foreigner 명 외국인
↔ native 형 태생의, 고유한

115 □□ **invent** [invént]

동 발명하다, 창조하다 (= create)

King Sejong **invented** Hangeul.
세종대왕이 한글을 ______.

+ invention 명 발명
inventor 명 발명가

철자주의

116 □□ **grammar** [grǽmər]

명 문법, 어법

I made a mistake on the English **grammar** test.
나는 영어 ______ 시험에서 실수를 했다.

+ grammatical 형 문법의

117 □□ **tradition** [trədíʃən]

명 전통, 관례 (= custom)

He keeps the family's **tradition**.
그는 가족의 ______을 지키고 있다.

+ traditional 형 전통적인

118 □□ **come true**

실현되다

At last my dream has **come true**.
마침내 나의 꿈이 ______.

119 □□ **cut down**

(나무를) 베다; (비용을) 삭감하다

People **cut down** many trees each year.
사람들은 매년 많은 나무를 ______.

120 □□ **get up**

일어나다, 기상하다

I always **get up** at 7:30.
나는 항상 7시 30분에 ______.

score의 다양한 뜻

1 명 (경기·시합의) 득점
make the highest **score**
최고 득점을 하다

2 명 (시험의) 점수
the average **score**
평균 점수

DAY 08 Wrap-up Test

ANSWERS p. 276

Day 08

A 영어는 우리말로, 우리말은 영어로 쓰시오.

1	safe	____________	6	건너다, 가로지르다	____________
2	get up	____________	7	득점, 점수	____________
3	foreign	____________	8	집중하다, 초점	____________
4	twice	____________	9	상대, 짝	____________
5	come true	____________	10	(나무) 베다, (비용) 삭감하다	____________

B 빈칸에 알맞은 단어를 [보기]에서 골라 쓰시오. (필요시 형태를 고칠 것)

보기	meal	grammar	tradition	invent	solve

11 Korea has the greatest ____________.
한국은 가장 위대한 전통을 갖고 있다.

12 I have to ____________ the problem.
나는 그 문제를 풀어야 한다.

13 I usually have a healthy ____________.
나는 보통 건강식을 먹는다.

14 Ancient Greek ____________ the Olympic Games.
고대 그리스인들이 올림픽 경기를 창제하였다.

15 Lincoln walked over 12 miles to find his ____________ book.
링컨은 그의 문법책을 찾기 위해 12마일 이상을 걸었다.

C 괄호 안의 지시에 맞는 단어를 골라 ✓표시를 하시오.

16	safe (명사형)	☐ safety	☐ safely
17	solve (명사형)	☐ tradition	☐ solution
18	safe (반의어)	☐ dangerous	☐ danger
19	foreign (반의어)	☐ focus	☐ native
20	invent (유의어)	☐ score	☐ create

MP3 파일을 들으면서
단어를 따라 읽어보세요.

---

121 □□ **sale** [seil]

on sale
판매 중인

명 할인 판매, 판매

How much was the sweater before the **sale**?
____ 전에 그 스웨터는 얼마였니?

+ sell 동 팔다
  salesman 명 판매원

발음주의

122 □□ **borrow** [bárou]

동 빌리다

Can I **borrow** your book?
내가 너의 책을 ____ 수 있겠니?

↔ lend 동 빌려주다

---

123 □□ **enter** [éntər]

동 들어가다

He **entered** his room.
그는 자기 방으로 ____.

+ entrance 명 입장, 입구
↔ exit 동 나가다

124 □□ **text** [tekst]

명 본문, 원문

I read an original **text**.
나는 ______ 을 읽었다.

+ textbook 명 교과서

125 □□ **trick** [trik]

명 속임수
동 속이다 (= cheat)

That **trick** doesn't work on me.
그런 ______ 는 나에게 통하지 않는다.

126 □□ **fry** [frai]

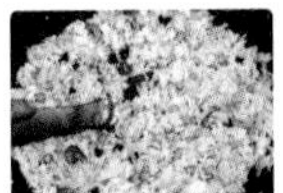
fried rice
볶음밥

동 (기름에) 튀기다

You should **fry** the potatoes for 1 or 2 minutes.
당신은 감자를 1분 내지는 2분 정도 ______ 야 한다.

127 □□ **sentence** [séntəns]

명 문장

Try to make a full **sentence**.
완전한 ______ 을 만들려고 노력하세요.

128 □□ **fact** [fækt]

명 사실 (= truth), 실제

His words are based on **fact**.
그의 말은 ______ 에 근거를 두고 있다.

↔ fiction 명 소설, 허구

129 □□ **field** [fi:ld]

명 들판, 밭

There are many cows in the **field**.
______ 에 많은 소들이 있다.

130 □□ **against** [əgénst]

전 …에 반대하여, …에 기대어

My mother is **against** keeping pets.
우리 엄마는 애완동물을 기르는 것에 ______.

131 □□ **goal** [goul]

명 목표 (= purpose), 목적

My **goal** is to read 50 books during the vacation.
나의 ______는 방학 동안 50권의 책을 읽는 것이다.

132 □□ **space** [speis]

spaceship
우주선

명 우주, 공간

In **space**, there is no gravity.
______에는 중력이 없다.

+ spaceman 명 우주인, 우주 비행사

133 □□ **help with**

…을 돕다

Can you **help** me **with** these bags?
이 가방들 드는 것 좀 ______?

134 □□ **in the future**

미래에

I will be a famous pianist **in the future**.
나는 ______ 유명한 피아니스트가 될 것이다.

↔ in the past 과거에

135 □□ **look around**

주위를 둘러보다

We went there and **looked around**.
우리는 거기에 가서 ______.

Get More '요리방법'과 관련된 단어

1 **boil** 동 끓이다
boil water
물을 끓이다

2 **steam** 동 찌다
steam carrots
당근을 찌다

3 **bake** 동 굽다
bake pies
파이를 굽다

DAY 09 Wrap-up Test

ANSWERS p. 276

A 영어는 우리말로, 우리말은 영어로 쓰시오.

1	borrow	______	6	들어가다	______
2	goal	______	7	…을 돕다	______
3	sentence	______	8	본문, 원문	______
4	in the future	______	9	(기름에) 튀기다	______
5	space	______	10	주위를 둘러보다	______

B 빈칸에 알맞은 단어를 [보기]에서 골라 쓰시오. (필요시 형태를 고칠 것)

보기	fact	trick	sale	field	against

11 She leaned ______ a big tree.
그녀는 큰 나무에 기대었다.

12 The farmers work in the ______.
농부들은 밭에서 일한다.

13 She played a mean ______ on me.
그녀는 나에게 비열한 속임수를 썼다.

14 He wrote a lot of ______ in the diary.
그는 일기장에 많은 사실들을 적었다.

15 The ______ of this drug is against the law.
이 약품의 판매는 불법이다.

C 설명하는 단어를 [보기]에서 골라 쓰시오.

보기	borrow	fry	enter	space	field

16 to cook something in a pan with oil ______

17 an area of grass in a park or on a farm ______

18 to go into a place like a room or building ______

19 to take or use something from someone and give it back after using it ______

20 a large area beyond the Earth where the stars and planets are ______

DAY 10

MP3 파일을 들으면서
단어를 따라 읽어보세요.

---

136 **wise** [waiz]

형 현명한 (= clever)

The prince is brave and **wise** in the story.
그 이야기에서 왕자는 용감하고 ______ 하다.

+ wisdom 명 지혜
↔ foolish 형 어리석은

---

137 **hall** [hɔːl]

명 현관, 복도

A lady stands in the **hall**.
한 여인이 ______ 에 서 있다.

hallway
복도

발음주의

138 **shout** [ʃaut]

동 소리치다 (= cry)

The coach **shouted** in anger.
그 코치는 화가 나서 ______ .

shouting
외침

139 □□ **tower**
[táuər]

bell tower
시계탑

명 탑

The **tower** is 74 meters high.
그 ______ 은 높이가 74미터이다.

140 □□ **habit**
[hǽbit]

명 습관

It is hard to break bad **habits**.
나쁜 ______ 은 고치기가 어렵다.

+ habitual 형 습관적인

141 □□ **project**
[prádʒekt]

명 계획 (= plan), 과제

Tell me about your new **project**.
새로운 ______ 에 대해 말씀해 주세요.

142 □□ **secret**
[síːkrit]

top secret
일급 비밀

명 비밀
형 비밀의

We have no **secrets** from each other.
우리는 서로에게 ______ 이 없다.

+ secretly 부 비밀스럽게

143 □□ **however**
[hauévər]

접 그러나 (= but)

She had an injury. **However**, she never gave up.
그녀는 부상을 당했다. ______ 결코 포기하지 않았다.

강세주의

144 □□ **mistake**
[mistéik]

명 실수, 잘못 (= error)
동 착각하다

They accept our **mistakes** with smiles.
그들은 우리의 ______ 를 미소로 받아들인다.

Day 10

145 □□ **waste** [weist]

waste basket
휴지통

명 낭비; 쓰레기
동 낭비하다

It is a **waste** of time.
그것은 시간 ______ 이다.

+ wasteful 형 낭비하는
↔ save 동 절약하다

---

146 □□ **while** [*h*wail]

접 …하는 동안
명 잠깐

Strike **while** the iron is hot.
쇠가 달구어졌을 ______ 쳐라. (속담: 쇠뿔도 단김에 빼라.)

---

147 □□ **prepare** [pripέə*r*]

pre[before]+pare
미리 준비하다

동 준비하다

I **prepared** a gift for my father.
나는 아빠를 위해 선물을 ______.

+ preparation 명 준비

---

148 □□ **look for**

…을 찾다 (= search for)

What are you **looking for**?
너는 무엇을 ______?

---

149 □□ **look like**

…처럼 보이다

The building **looks like** a castle.
그 건물은 성 ______.

---

150 □□ **make money**

돈을 벌다

She **makes** a lot of **money** at her new job.
그녀는 새 직장에서 많은 ______.

Get More while의 다양한 뜻

1 접 …하는 동안에

While the twins played cards, David sat reading.
쌍둥이가 카드 게임을 하고 있는 동안, David는 앉아서 책을 읽고 있었다.

2 접 반면에

The table is white, **while** the sofa is black.
테이블은 하얀색인 반면에, 소파는 검은색이다.

DAY 10 Wrap-up Test

ANSWERS p. 276

A 영어는 우리말로, 우리말은 영어로 쓰시오.

1	look for	________	6	…처럼 보이다	________
2	however	________	7	계획, 과제	________
3	mistake	________	8	준비하다	________
4	make money	________	9	실수, 잘못, 착각하다	________
5	wise	________	10	현관, 복도	________

B 빈칸에 알맞은 단어를 [보기]에서 골라 쓰시오. (필요시 형태를 고칠 것)

보기 waste shout secret while habit

11 Jenny has many ________.
Jenny는 비밀이 많다.

12 Don't ________ at me. It's not my fault.
나에게 소리치지 마. 내 잘못이 아니야.

13 Don't ________ time. It's very important.
시간을 낭비하지 마라. 그것은 매우 중요하다.

14 ________ you were away, Mina called you.
네가 외출해 있는 동안, 미나에게서 전화가 왔었다.

15 They are talking about their eating ________.
그들은 식습관에 대하여 이야기하고 있다.

C 설명과 일치하는 단어를 골라 ✔표시를 하시오.

16 a tall and narrow building ☐ project ☐ tower
17 something that is incorrect or not right ☐ mistake ☐ trick
18 something that you do often or regularly ☐ fact ☐ habit
19 to try to find something ☐ look for ☐ look like
20 the information that should not be told to others ☐ plan ☐ secret

DAY 06~10 Review Test

ANSWERS p. 276

다음 우리말에 맞게 빈칸에 주어진 철자로 시작하는 단어를 쓰시오.

DAY 06

1	유용한 책	a u________ book
2	건전한 정신	a sound m________
3	아무 도움 없이	w________ any help
4	장갑을 끼다	p________ gloves
5	상을 받다	win a p________
6	국제 영화제	the World film F________

DAY 07

7	열대우림	a tropical rain f________
8	지구촌	a global v________
9	찻잔 한 벌	a tea s________
10	샤워하다	take a s________
11	등산하다	c________ a mountain
12	가족의 일원	a m________ of family

DAY 08

13	두 번 생각하다	think t________
14	식사하다	have a m________
15	득점하다	make a s________
16	안전한 장소	a s________ place
17	전통을 따르다	follow t________
18	외국어	a f________ language

DAY 09

19	판매 중인	on s________
20	긴 문장	a long s________
21	시간과 공간	time and s________
22	사실상	in f________
23	밀밭	a f________ of wheat
24	목표를 달성하다	achieve a g________

DAY 10

25	비밀을 지키다	keep a s________
26	실수를 하다	make a m________
27	잠시 동안	for a w________
28	밥상을 차리다	p________ the table
29	재활용 쓰레기	recyclable w________
30	좋은 습관을 들이다	form a good h________

기본 전치사 02 from

전치사 살펴보기

전치사 from은 기본적으로 '…부터, …로부터'라는 뜻을 갖고 있습니다.

출발점 (…부터)	출처 (…로부터)
from July 7월부터	**from** her 그녀로부터
from here 여기서부터	**from** Seoul 서울로부터
from 9 o'clock 9시부터	**from** abroad 해외로부터
from the station 역에서부터	**from** France 프랑스로부터
from the beginning 처음부터	**from** the radio 라디오로부터

문장 속에서 보는 전치사

Let's start **from** the beginning. 처음부터 시작해 보자.

There is a man **from** France. 프랑스에서 온 남자가 있다.

We draw a line **from** here. 우리는 여기서부터 선을 그었다.

I got a letter **from** her. 나는 그녀로부터 편지 한 통을 받았다.

The store opens **from** 9 o'clock. 그 가게는 9시부터 문을 연다.

MP3 파일을 들으면서
단어를 따라 읽어보세요.

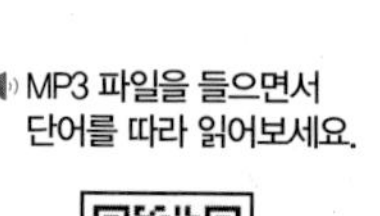

151 **already**
[ɔːlrédi]

부 이미, 벌써

Minhee, it's already 8 o'clock. Get up!
민희야, ______ 8시야. 일어나!

152 **blow**
[blou]

blow – blew – blown

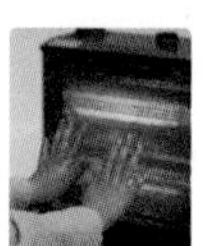
hot-air blower
온풍기

동 (바람이) 불다, (바람에) 날리다

A cold wind is blowing.
차가운 바람이 ______.

+ blowy 형 바람이 부는, 바람이 센

153 **lie**
[lai]

명 거짓말
동 거짓말하다

Don't tell a lie.
______을 하지 마라.

↔ truth 명 진실

154 □□ **energy**
[énərdʒi]

solar energy
태양 에너지

명 에너지, 힘 (= power)

During winter, bears sleep and save their **energy**.
겨울 동안 곰은 잠을 자면서 ______ 를 비축한다.

+ energetic 형 활기찬

155 □□ **everywhere**
[évrihwὲər]

부 도처에, 어디에나

There were many people **everywhere**.
많은 사람들이 ______ 있었다.

156 □□ **form**
[fɔːrm]

명 형태 (= shape)
동 …의 형태로 만들다

It will work by a **form** of light.
그것은 빛의 ______ 로 작동할 것이다.

강세주의

157 □□ **experience**
[ikspíəriəns]

명 경험
동 경험하다

It was a good **experience** for my kids.
그것은 우리 아이들에게 좋은 ______ 이었다.

158 □□ **hole**
[houl]

명 구멍, 구덩이

He dug a **hole** and buried his secret file.
그는 ______ 을 파서 자신의 비밀문서를 묻었다.

159 □□ **guide**
[gaid]

guide dog
맹인 안내견

동 인도하다 (= lead)
명 안내자

The dog can **guide** a blind person.
그 개는 눈이 먼 사람을 ______ 수 있다.

+ guidance 명 안내, 지시

Day 11

160 □□ **imagine**
[imǽdʒin]

㊍ 상상하다

Can you **imagine** the sea with no fish?
너는 물고기가 없는 바다를 ______ 수 있니?

+ imagination ㊕ 상상, 상상력

---

161 □□ **information**
[ìnfərméiʃən]

㊕ 정보

It is useful **information** to me.
그것은 나에게 유용한 ______ 이다.

+ inform ㊍ 알리다, 공지하다
informative ㊒ 정보를 제공하는

---

162 □□ **direct**
[dirékt]

㊍ 가리키다, 길을 알려 주다

Please **direct** me to the nearest bank.
저에게 가장 가까운 은행을 ______.

+ direction ㊕ 방향; 지시

---

163 □□ **all over the world**

전 세계에

The film is famous **all over the world**.
그 영화는 ______ 유명하다.

---

164 □□ **take a bath**

목욕하다

I **took a bath** after playing volleyball.
나는 배구를 하고 난 후에 ______.

---

165 □□ **take out**

꺼내다

After opening a drawer, she **took out** a letter.
그녀는 서랍을 연 후에 편지를 ______.

Get More lie의 다양한 뜻

1 ㊍ 거짓말하다 lie – lied – lied
She **lied** to her friend.
그녀는 친구에게 거짓말을 했다.

2 ㊍ 눕다 lie – lay – lain
He is **lying** down on the grass.
그는 잔디에 누워 있다.

DAY 11 Wrap-up Test

ANSWERS p. 277

A 영어는 우리말로, 우리말은 영어로 쓰시오.

1 energy ____________
2 take out ____________
3 form ____________
4 take a bath ____________
5 information ____________
6 상상하다 ____________
7 거짓말, 거짓말하다 ____________
8 전 세계에 ____________
9 어디에나, 도처에 ____________
10 가리키다, 길을 알려 주다 ____________

B 빈칸에 알맞은 단어를 [보기]에서 골라 쓰시오. (필요시 형태를 고칠 것)

보기	already	guide	hole	blow	experience

11 All my friends were ____________ here.
나의 모든 친구들이 벌써 이곳에 와 있었다.

12 A strong wind will ____________ tomorrow.
내일은 강한 바람이 불 것이다.

13 Cover the ____________ with newspaper.
그 구멍을 신문지로 막아라.

14 She has plenty of ____________ baby-sitting.
그녀는 아기를 돌보는 일에 많은 경험이 있다.

15 A tour ____________ can visit many exciting places.
여행 안내자는 여러 흥미로운 곳을 방문할 수 있다.

C 설명하는 단어를 [보기]에서 골라 쓰시오.

보기	form	imagine	lie	energy	direct

16 a shape of something ____________
17 to say something that is not true ____________
18 to tell someone how to get to a place ____________
19 the power from sources that makes machines work ____________
20 to think about something and form a picture of it ____________

DAY 12

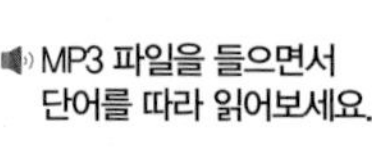
MP3 파일을 들으면서
단어를 따라 읽어보세요.

---

166 □□ **list**
[list]

명 목록, 명단
동 목록에 올리다

There are seven names on the **list**.
그 ______ 에는 일곱 명의 이름이 있다.

checklist
점검표

---

167 □□ **mix**
[miks]

동 섞다

Pour sugar and **mix** them.
설탕을 넣고 그것들을 ______.

+ mixture 명 혼합, 혼합물

mixer
믹서기

---

168 □□ **race**
[reis]

명 경주
동 경주하다

Let's have a swimming **race**.
우리 수영 ______ 하자.

+ racer 명 경주자

169 □□ **such** [sʌ́tʃ]

형 그러한
부 매우, 아주

In **such** cases, please call me.
_____ 경우에는 저를 부르세요.

발음주의

170 □□ **area** [ɛ́əriə]

area code
지역 번호

명 지역, 구역

The **area** has a lot of wildlife.
그 _____ 에는 야생 생물이 많다.

171 □□ **return** [ritə́ːrn]

동 돌려주다

I **returned** the book in three days.
나는 3일 후에 그 책을 _____ .

↔ keep 동 보관하다

172 □□ **roll** [roul]

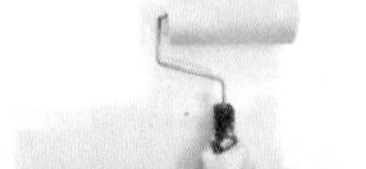
roller
롤러

동 굴리다
명 두루마리

I **rolled** a giant snowball with my friends.
나는 내 친구들과 거대한 눈덩이를 _____ .

173 □□ **somebody** [sʌ́mbɑ̀di]

대 어떤 사람, 누군가 (= someone)

Somebody called my name.
_____ 내 이름을 불렀다.

철자주의

174 □□ **accident** [ǽksidənt]

명 사고 (= incident)

He had a car **accident** this morning.
그는 오늘 아침 자동차 _____ 를 당했다.

+ accidental 형 우연한

175 **price**
[prais]

명 가격

I bought the shirt at a low **price**.
나는 저렴한 ________ 에 그 셔츠를 샀다.

176 **amazing**
[əméiziŋ]

형 놀라운 (= surprising)

What an **amazing** world!
얼마나 ________ 세상인가!

+ amazement 명 놀람, 경탄
amazingly 부 놀랍게도

177 **protect**
[prətékt]

pro[forward]+tect[cover]
앞에서 막아 주다 → 보호하다

동 보호하다 (= guard)

The police **protect** people from danger of crime.
경찰은 범죄의 위험으로부터 사람들을 ________.

+ protection 명 보호, 보존

178 **think of**

…에 대해 생각하다

I will appreciate it if you **think of** my offer.
저의 제안에 ________ 해 주시면 감사하겠습니다.

179 **turn over**

…을 뒤집다

Jane picked up the card and **turned** it **over**.
Jane은 카드를 집어서 그것을 ________.

180 **all day long**

하루 종일

I want to sleep **all day long**.
나는 ________ 자고 싶다.

Get More return의 다양한 뜻

1 명 귀환
The students were excited by her **return**.
학생들은 그녀가 돌아온 것에 들떴다.

2 명 반납
They asked for the **return** of the island.
그들은 그 섬의 반환을 요구했다.

DAY 12 Wrap-up Test

ANSWERS p. 277

A 영어는 우리말로, 우리말은 영어로 쓰시오.

1 amazing ____________

2 area ____________

3 return ____________

4 think of ____________

5 all day long ____________

6 굴리다, 두루마리 ____________

7 어떤 사람, 누군가 ____________

8 보호하다 ____________

9 경주, 경주하다 ____________

10 …을 뒤집다 ____________

B 빈칸에 알맞은 단어를 [보기]에서 골라 쓰시오. (필요시 형태를 고칠 것)

보기	list	accident	price	mix	such

11 ____________ a man is dangerous.
그런 사람은 위험하다.

12 ____________ the fruit with the yogurt.
과일을 요구르트와 섞어라.

13 The ____________ is too high. I can't buy it.
가격이 너무 비싸다. 나는 그것을 살 수 없다.

14 Six people were wounded in the ____________.
여섯 명이 그 사고에서 다쳤다.

15 We made a(n) ____________ of the top ten boys in our class.
우리는 반에서 최고 소년 열 명의 목록을 만들었다.

C 괄호 안의 지시에 맞는 단어를 골라 ✔표시를 하시오.

16 mix (명사형) ☐ mixture ☐ mixed

17 accident (유의어) ☐ accidental ☐ incident

18 amazing (유의어) ☐ surprising ☐ amazingly

19 protect (명사형) ☐ protection ☐ project

20 somebody (유의어) ☐ something ☐ someone

DAY 13

MP3 파일을 들으면서
단어를 따라 읽어보세요.

---

181 □□ **bake**
[beik]

동 굽다

Bake the bread for 10 minutes.
빵을 10분 동안 ______.

+ baker 명 제빵업자
  bakery 명 제과점

---

182 □□ **brave**
[breiv]

형 용감한 (= courageous)

The **brave** policeman caught the thief.
그 ______ 경찰이 도둑을 잡았다.

+ bravery 명 용감

---

183 □□ **coin**
[kɔin]

gold coin
금화

명 동전

I collected a lot of **coins**.
나는 많은 ______ 을 모았다.

184 **drum**

[drʌm]

명 북, 드럼

Jenny can play the **drums**.

Jenny는 ______ 을 연주할 수 있다.

185 **everybody**

[évribɑ̀di]

대 모두, 누구든지(= everyone)

Everybody was happy to make new friends.

______ 새로운 친구들을 사귀어서 기뻐했다.

Day 13

발음주의

186 **either**

[íːðər]

부 (둘 중) 어느 한 쪽

Either she or I am wrong.

그녀와 나 둘 중 ______ 이 틀린 것이다.

강세주의

187 **celebrate**

[séləbrèit]

birthday celebration
생일 축하 파티

동 축하하다(= congratulate)

We will **celebrate** her birthday together.

우리는 그녀의 생일을 함께 ______ 할 것이다.

+ celebration 명 축하, 경축

188 **choice**

[tʃɔis]

명 선택, 선정

It's your **choice**.

그것은 너의 ______ 이다.

+ choose 동 선택하다

189 **dictionary**

[díkʃənèri]

English dictionary
영어 사전

명 사전

I bought a **dictionary** at the bookstore.

나는 서점에서 ______ 을 샀다.

190 **chance** [tʃæns]

명 기회 (= opportunity)

OK! I will give you one more chance.
좋아! 네게 한 번 더 ____ 를 줄게.

191 **complete** [kəmplíːt]

com[강조]+ple(te)[fill]
완전히 채우다 → 완성하다

동 완료하다 (= finish), 완성하다

Change the words to complete the sentences.
문장들이 ____ 되도록 단어들을 바꾸시오.

+ completely 부 완전히

철자주의

192 **character** [kǽriktər]

명 등장인물; 성격

The rabbit is the main character of the story.
토끼는 그 이야기의 주요 ____ 이다.

+ characteristic 형 특징 있는, 독특한

193 **ask for**

요청하다, 청구하다

He asked for help.
그는 도움을 ____.

194 **be interested in**

…에 관심이 있다

I am interested in English.
나는 영어에 ____.

195 **be ready to**

…할 준비가 되다

Are you ready to board, Mr. Smith?
Smith 씨, 탑승할 ____?

Get More either의 다양한 뜻

1 긍정문: (둘 중) 어느 한 쪽
Either you or she has to go.
당신과 그녀 둘 중에 한 사람이 가야 한다.

2 부정문: (둘 중) …도 아니다
I don't like **either** of his cousins.
나는 그의 사촌들 중 어느 누구도 좋아하지 않는다.

DAY 13 Wrap-up Test

ANSWERS p. 277

A 영어는 우리말로, 우리말은 영어로 쓰시오.

1	chance	____________	6	굽다	____________
2	ask for	____________	7	용감한	____________
3	coin	____________	8	…할 준비가 되다	____________
4	choice	____________	9	완성하다, 완료하다	____________
5	be interested in	____________	10	북, 드럼	____________

B 빈칸에 알맞은 단어를 [보기]에서 골라 쓰시오. (필요시 형태를 고칠 것)

보기	bake	everybody	celebrate	either	dictionary

11 ____________ has his duty.
누구든지 저마다 할 일이 있다.

12 Can I use your English ____________?
내가 너의 영어사전을 사용해도 되니?

13 Let's ____________ some cookies for our picnic.
소풍 때 가져갈 쿠키를 좀 굽자.

14 Tony ____________ his 17th birthday three days ago.
Tony는 3일 전에 17번째 생일을 축하했다.

15 He didn't say anything to her, and she didn't speak to him ____________.
그는 그녀에게 아무 것도 말하지 않았고, 그녀 또한 그에게 말하지 않았다.

C 의미가 통하도록 빈칸에 알맞은 단어를 [보기]에서 골라 쓰시오.

보기	brave	coin	character	complete	chance

16 A ____________ person does not show fear.

17 If you have a ____________ to do something, you can do it.

18 If you ____________ something, it means you finish doing or making it.

19 A ____________ is a small piece of metal which is used as money.

20 Each ____________ plays an important role in a film, book or play.

DAY 14

MP3 파일을 들으면서
단어를 따라 읽어보세요.

---

196 □□ **lazy** [léizi]

형 게으른

My little brother is very **lazy**.

나의 남동생은 매우 ______.

+ laziness 명 게으름

↔ diligent 형 부지런한

---

197 □□ **fair** [fɛər]

형 공평한

He made a **fair** decision.

그는 ______ 결정을 내렸다.

+ fairly 부 공평하게

↔ unfair 형 불공평한

---

198 □□ **football** [fútbɔ̀ːl]

명 축구 (= soccer)

Football is a very exciting game.

______는 매우 흥미로운 경기이다.

American football
미식 축구

199 □□ **favor** [féivər]

명 호의, 부탁
동 호의를 보이다

Could you do me a **favor**?
드려도 될까요?

+ favorable 형 호의적인

발음주의

200 □□ **fever** [fíːvər]

high fever
고열

명 열, 열정

I have a **fever**, Mom.
엄마, 저 나요.

---

201 □□ **memory** [méməri]

Memorial Day
현충일

명 기억, 기억력

He is dead, but he still lives in my **memory**.
그는 죽었지만, 내 속에 여전히 살아 있다.

+ memorize 동 기억하다

---

202 □□ **pardon** [páːrdn]

명 용서
동 용서하다 (= forgive)

I was rude. I beg your **pardon**.
제가 무례했어요. 를 구합니다.

---

203 □□ **instead** [instéd]

부 그 대신에

Don't drink coffee. Drink tea **instead**.
커피를 마시지 마라. 차를 마셔라.

---

204 □□ **explain** [ikspléin]

동 설명하다

Can you **explain** this story to me?
이 이야기를 내게 해 줄래?

+ explanation 명 설명

Day 14

발음주의

205 □□ **machine**

[məʃíːn]

washing machine
세탁기

명 기계

I put the coin in the machine.
나는 동전을 ______에 넣었다.

➕ machinery 명 기계류

206 □□ **perfect**

[pə́ːrfikt]

형 완벽한

The puppy is a perfect pet for me.
그 강아지는 내게 ______ 애완동물이다.

➕ perfectly 부 완벽하게
↔ imperfect 형 불완전한

강세주의

207 □□ **review**

[rivjúː]

re[again]+view[see]
다시 보다 → 재검토하다

동 재검토하다, 복습하다
명 재검토

I reviewed the notes for the exam.
나는 시험을 위해 필기했던 것을 ______.

➕ reviewal 명 재검토, 복습

208 □□ **because of**

… 때문에

People laughed a lot because of his jokes.
사람들은 그의 농담 ______ 많이 웃었다.

209 □□ **by the way**

그런데, 그나저나

By the way, how did you go there?
______, 너는 거기에 어떻게 갔었니?

210 □□ **fall down**

넘어지다, 쓰러지다

She fell down and broke her leg.
그녀는 ______서 다리가 부러졌다.

Get More fair의 다양한 뜻

1 형 공정한
His judgment was **fair**.
그의 판단은 공정했다.

2 형 예쁜
Faint heart never won **fair** lady.
용기있는 자만이 미인을 얻을 수 있다.

DAY 14 Wrap-up Test

ANSWERS p. 277

A 영어는 우리말로, 우리말은 영어로 쓰시오.

1 football ____________
2 pardon ____________
3 instead ____________
4 because of ____________
5 lazy ____________
6 기계 ____________
7 공평한 ____________
8 그런데, 그나저나 ____________
9 재검토하다, 복습하다 ____________
10 넘어지다, 쓰러지다 ____________

B 빈칸에 알맞은 단어를 [보기]에서 골라 쓰시오. (필요시 형태를 고칠 것)

보기	fever	favor	instead	memory	explain

11 May I ask a(n) ____________ of you?
제가 당신에게 부탁해도 될까요?

12 My sister Jane had a high ____________.
나의 여동생 Jane은 고열이 났다.

13 He has happy ____________ of his father.
그는 아버지에 대한 좋은 기억들을 가지고 있다.

14 He will ____________ his project to me tomorrow.
그는 내일 내게 자신의 프로젝트를 설명할 것이다.

15 I didn't go to the picnic. I went to the movies ____________.
나는 소풍을 가지 않았다. 그 대신에 영화를 보러 갔다.

C 설명하는 단어를 [보기]에서 골라 쓰시오.

보기	explain	perfect	lazy	review	fair

16 to check something again ____________
17 good and right in every way ____________
18 right and not partial to anybody ____________
19 not willing to work or make any effort ____________
20 to describe something so that it can be understood ____________

211 □□ **wonder**
[wʌ́ndər]

wonder boy
신동

동 궁금해 하다
명 경이, 경탄

I **wonder** who that girl is.
나는 저 소녀가 누구인지 ______.

+ wonderful 형 굉장한

212 □□ **yet**
[jet]

부 (부정문) 아직 (= still), (의문문) 벌써 (= already)

The package has not arrived **yet**.
소포가 ______ 도착하지 않았어요.

213 □□ **band**
[bænd]

military band
군악대

명 밴드, 악단

My mother likes the **band** the Beatles a lot.
우리 어머니는 비틀즈 ______를 무척 좋아하신다.

214 □□ **bell**
[bel]

doorbell
초인종

명 종

My little sister tied the **bell** on the cat.
내 여동생이 고양이에게 ________ 을 매달았다.

215 □□ **blind**
[blaind]

형 눈 먼

He reads books for the **blind** children.
그는 ________ 아이들을 위해 책을 읽어 준다.

216 □□ **bear**
[bɛər]

bear – bore – born

동 (아이를) 낳다

Julia **bore** a daughter called Emma.
Julia는 Emma라고 불리는 딸을 ________.

강세주의

217 □□ **communicate**
[kəmjú:nəkèit]

동 의사소통하다, 연락하다

Sometimes we **communicate** with body language.
때때로 우리는 몸짓언어로 ________.

+ communication 명 의사소통, 연락

218 □□ **curious**
[kjúəriəs]

형 호기심이 강한

Steve is **curious** about everything.
Steve는 모든 것에 대해 ________.

+ curiosity 명 호기심

철자주의

219 □□ **different**
[dífərənt]

형 다른 (= unlike), 별개의

It's a **different** matter.
그것은 ________ 문제이다.

+ differ 동 다르다
difference 명 다름, 차이

220 □□ **collect**
[kəlékt]

col[together]+lect[gather]
함께 모으다 → 수집하다

동 모으다 (= gather), 수집하다

I like to **collect** coins from other countries.
나는 다른 나라의 동전들을 ______ 것을 좋아한다.

+ collection 명 수집, 채집

---

221 □□ **event**
[ivént]

명 사건, 행사

A wedding is a family **event**.
결혼은 가족 ______ 이다.

---

222 □□ **forward**
[fɔ́ːrwərd]

부 앞으로, 앞쪽으로 (= forth)

The car moved **forward** slowly.
그 차는 천천히 ______ 움직였다.

↔ backward 부 뒤로

---

223 □□ **for example**

예를 들면 (= for instance)

I have some bad habits. **For example**, I bite my nails when I'm nervous.
나는 나쁜 버릇 몇개를 갖고 있다. ______, 나는 긴장하면 내 손톱을 물어뜯는다.

---

224 □□ **from ~ to …**

~부터 …까지

She works **from** nine **to** five.
그녀는 9시 ______ 5시 ______ 일한다.

---

225 □□ **get off**

(탈 것에서) 내리다

Take Subway Line 1 and **get off** at Seoul Station.
지하철 1호선을 타서 서울역에서 ______.

↔ get on (탈 것에) 타다

Get More bear의 다양한 뜻

1 명 곰
a polar **bear**
북극곰

2 동 (열매를) 맺다
bear pears
배가 열리다

3 동 낳다
bear a baby
아기를 낳다

DAY 15 Wrap-up Test

ANSWERS p. 278

A 영어는 우리말로, 우리말은 영어로 쓰시오.

1	bell	____________	6	밴드, 악단	____________
2	forward	____________	7	의사소통하다, 연락하다	____________
3	curious	____________	8	행사, 사건	____________
4	from ~ to …	____________	9	(탈 것에서) 내리다	____________
5	for example	____________	10	(아이를) 낳다	____________

B 빈칸에 알맞은 단어를 [보기]에서 골라 쓰시오. (필요시 형태를 고칠 것)

보기	yet	blind	wonder	collect	different

11 I ____________ what happened.
나는 무슨 일이 일어났었는지 궁금하다.

12 We have totally ____________ opinions.
우리는 전혀 다른 의견을 가지고 있다.

13 She ____________ coupons from the store.
그녀는 그 가게의 쿠폰을 모은다.

14 The guide dogs help the ____________ people.
맹인 안내견은 눈이 먼 사람들을 돕는다.

15 They haven't finished the work ____________.
그들은 아직 그 일을 끝마치지 않았다.

C 설명에 맞는 단어를 찾아 선으로 연결하시오.

16	to give birth to a baby •	• ⓐ forward
17	a small group of musicians •	• ⓑ event
18	wanting to know about something •	• ⓒ curious
19	something that happens on a special day •	• ⓓ bear
20	moving in a direction that is in front of you •	• ⓔ band

DAY 11~15 Review Test

ANSWERS p. 278

다음 우리말에 맞게 빈칸에 주어진 철자로 시작하는 단어를 쓰시오.

DAY 11

1	선의의 거짓말	a white l________
2	독 안에 든 쥐	a rat in a h________
3	몸의 형태, 체형	the f________ of the body
4	원자력 에너지	atomic e________
5	관광객을 안내하다	g________ tourists
6	경험으로 배우다	learn by e________

DAY 12

7	정찰 가격	a net p________
8	자동차 경주	a car r________
9	금연 구역	a non-smoking a________
10	사고를 당하다	have an a________
11	놀라운 진보	a________ progress
12	책을 반납하다	r________ the book

DAY 13

13	크리스마스를 기념하다	c________ Christmas
14	선택하다	make a c________
15	국어 사전	a Korean d________
16	좋은 기회	a good c________
17	용감한 사람	a b________ man
18	과정을 마치다	c________ the course

DAY 14

19	공정한 판결	a f________ judgment
20	게으르고 이기적인	l________ and selfish
21	자동 응답기	an answering m________
22	고열	a high f________
23	기억력 상실	a loss of m________
24	쉽게 설명하다	e________ easily

DAY 15

25	신동	a w________ boy
26	한쪽 눈이 먼	b________ in one eye
27	다른 관점	a d________ point of view
28	주요 행사	a main e________
29	우표를 수집하다	c________ stamps
30	호기심 어린 눈빛	a c________ look

기본 전치사 03 for

전치사 살펴보기

전치사 for는 기본적으로 '…를 위해'라는 뜻을 갖고 있습니다.

대상 (…를 위해)	목적 (…를 위해)
for you 너를 위해	**for** the exam 시험을 위해
for children 아이들을 위해	**for** Christmas 성탄절을 위해
for students 학생들을 위해	**for** an interview 면접을 위해
for my sister 내 여동생을 위해	**for** scoring a goal 득점하기 위해
for beginners 초보자들을 위해	**for** cutting bread 빵을 자르기 위해

문장 속에서 보는 전치사

This class is **for** children. 이 수업은 어린이들을 위한 것이다.

He wrote a book **for** students. 그는 학생들을 위해 책을 썼다.

I have to study **for** the exam. 나는 시험을 위해 공부해야 한다.

I need a knife **for** cutting bread. 나는 빵을 자르기 위해 칼이 필요하다.

This racket is made **for** beginners. 이 라켓은 초보자들을 위해 만들어졌다.

DAY 16

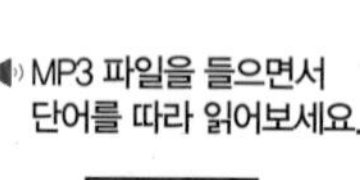

MP3 파일을 들으면서 단어를 따라 읽어보세요.

---

226 **oil**
[ɔil]

oil production
석유 생산

명 기름; 석유

Put some oil in the pan and heat it.
팬에 ______을 넣고 달구어라.

+ oily 형 기름이 많은

---

227 **lend**
[lend]

lend – lent – lent

동 빌려 주다

Will you lend me the coat?
나에게 그 코트를 ______?

↔ borrow 동 빌리다

---

228 **note**
[nout]

thank-you note
감사장

명 짧은 기록 (= memo), 쪽지 (= message)

He left a note for Mary.
그는 Mary에게 ______를 남겼다.

+ notebook 명 노트, 공책

229 □□ **main**
[mein]

형 주요한, 주된 (= major)

Rain is the **main** character in the movie.
비가 그 영화의 ________ 주인공이다.

+ mainly 부 주로

230 □□ **role**
[roul]

명 역할, 임무

He played an important **role** in the meeting.
그는 모임에서 중요한 ________을 했다.

231 □□ **magazine**
[mæɡəzíːn]

fashion magazine
패션 잡지

명 잡지

I want to buy a movie **magazine**.
나는 영화 ________를 사고 싶다.

발음주의

232 □□ **island**
[áilənd]

Jeju Island
제주도

명 섬

The **island** has its beautiful beaches.
그 ________에는 아름다운 해변들이 있다.

233 □□ **scene**
[siːn]

명 (연극·영화 등의) 장면, 경치

I remember the **scene** well.
나는 그 ________을 잘 기억한다.

234 □□ **raise**
[reiz]

동 올리다 (= lift), 치켜 들다

Who wants to read first? **Raise** your hand.
누가 먼저 읽고 싶니? 손을 ________.

235 **regular**
[régjulər]

형 규칙적인

Eating **regular** meals is good for your health.
______ 식사를 하는 것은 건강에 좋다.

➕ regularity 명 규칙적임
regularly 부 규칙적으로

236 **possible**
[pásəbl]

형 가능한

If we try harder, everything is **possible**.
우리가 더욱 노력한다면, 모든 것이 ______ 하다.

➕ possibility 명 가능성
↔ impossible 형 불가능한

철자주의

237 **medicine**
[médəsn]

medicine chest
구급 상자

명 약 (= drug)

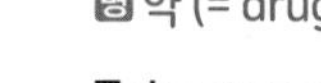

Take some **medicine** and get some rest.
______ 을 먹고 휴식을 취해라.

➕ medical 형 의학의, 의료의

238 **get out of**

…에서 나오다

We will clean the room. Please **get out of** here.
우리는 방을 청소할 겁니다. 이곳 ______.

239 **get over**

(곤란을) 극복하다

How could you **get over** the problem?
너는 어떻게 그 문제를 ______ 수 있었니?

240 **go on**

나아가다, 계속되다 (= continue)

The summer sale will **go on** for a week.
여름 세일은 1주일 동안 ______.

Get More raise의 다양한 뜻

1 동 기르다
raise corn
옥수수를 재배하다

2 동 모으다
raise money
기금을 모금하다

3 동 올리다
raise the price
가격을 올리다

DAY 16 Wrap-up Test

ANSWERS p. 278

A 영어는 우리말로, 우리말은 영어로 쓰시오.

1	possible	__________	6	짧은 기록, 쪽지	__________
2	medicine	__________	7	장면, 경치	__________
3	magazine	__________	8	올리다, 치켜 들다	__________
4	oil	__________	9	(곤란을) 극복하다	__________
5	get out of	__________	10	나아가다, 계속되다	__________

B 빈칸에 알맞은 단어를 [보기]에서 골라 쓰시오. (필요시 형태를 고칠 것)

보기	main	island	lend	regular	role

11 Can you __________ me twenty dollars?
너는 나에게 20달러를 빌려 줄 수 있니?

12 The __________ was covered with seabirds.
그 섬은 바다새로 덮여 있었다.

13 __________ exercise is a good way of relaxing.
규칙적인 운동은 긴장을 푸는 좋은 방법이다.

14 She wanted the __________ of Cinderella in the play.
그녀는 그 연극에서 신데렐라 역할을 원했다.

15 The __________ topic for discussion is volunteer work.
토론의 주된 주제는 봉사 활동이다.

C 괄호 안의 지시에 맞는 단어를 골라 ✔표시를 하시오.

16	note (유의어)	□ answer	□ message
17	main (부사형)	□ mainly	□ major
18	regular (명사형)	□ regularly	□ regularity
19	possible (명사형)	□ possibility	□ possibly
20	medicine (유의어)	□ drug	□ magazine

In fact, 그 사람은 저에게
고백하려고 했던 사람이었어요…

MP3 파일을 들으면서
단어를 따라 읽어보세요.

241 □□ **self**
[self]

self-study
독학

명 자신

I want to find my true **self**.
나는 진정한 내 ______ 을 찾고 싶다.

+ selfish 형 이기적인

242 □□ **crazy**
[kréizi]

형 미친 (= mad); 열광적인

This is driving me **crazy**.
이것은 나를 ______ 한다.

+ craziness 명 광기
crazily 부 미친 듯이

243 □□ **shake**
[ʃeik]

shake – shook – shaken

동 흔들다

She **shakes** a bottle of juice before drinking.
그녀는 마시기 전에 주스 병을 ______.

244 □□ **amuse**

[əmjúːz]

amusement park
놀이 공원

동 즐겁게 하다

His jokes **amused** me.

그의 농담이 나를 ______.

+ amusement 명 즐거움
↔ bore 동 지루하게 하다

245 □□ **view**

[vjuː]

명 경치, 견해 (= opinion)

There is a fine **view** from the window.

창에서 보는 ______가 좋다.

246 □□ **wheel**

[*h*wiːl]

명 바퀴, 수레바퀴

The car **wheels** slipped on some oil.

______가 기름에 미끄러졌다.

247 □□ **wrap**

[ræp]

동 감싸다, 포장하다

Wrap up the presents.

선물을 ______.

+ wrapper 명 포장지
↔ unwrap 동 (포장을) 풀다

발음주의

248 □□ **terrible**

[térəbl]

형 지독한, 끔찍한

I had a **terrible** day today.

나는 오늘 ______ 하루를 보냈다.

+ terribly 부 무섭게, 지독하게

발음주의

249 □□ **bottom**

[bátəm]

bottom of the sea
해저

명 밑, 바닥

Jina sat at the **bottom** of the stairs.

지나는 계단 ______에 앉아 있었다.

↔ top 명 꼭대기

Day 17

250 **cloth**
[klɔ́:θ]

명 천, 옷감

This **cloth** dyes well.
이 ______ 은 물이 잘 든다.

✚ clothes 명 옷

251 **spell**
[spel]

동 철자를 말하다

How do you **spell** your last name?
너의 성(姓)은 어떻게 ______?

✚ spelling 명 철자

252 **dangerous**
[déindʒərəs]

형 위험한, 위태로운 (= unsafe)

Tigers and lions are **dangerous** animals.
호랑이와 사자는 ______ 동물이다.

✚ danger 명 위험
↔ safe 형 안전한

253 **go through**

겪다, 경험하다 (= experience)

Mary is **going through** a very difficult time.
Mary는 매우 힘든 시간을 ______.

254 **a pair of**

한 쌍의

At your turn, throw **a pair of** dice.
네 차례에 ______ 주사위를 던져라.

255 **in fact**

사실은 (= actually)

It looks simple, but **in fact** it's very difficult.
그것은 단순하게 보이지만 ______ 매우 어렵다.

반대말을 만드는 un-

1 **wrap** 동 감싸다
→ **unwrap** 동 풀다
I **unwrapped** the parcel.
나는 소포의 포장을 풀었다.

2 **fair** 형 공평한
→ **unfair** 동 불공평한
It's an **unfair** competition.
그것은 불공평한 경쟁이다.

DAY 17 Wrap-up Test

ANSWERS p. 278

A 영어는 우리말로, 우리말은 영어로 쓰시오.

1 dangerous ____________
2 a pair of ____________
3 self ____________
4 wheel ____________
5 in fact ____________
6 겪다, 경험하다 ____________
7 포장하다, 감싸다 ____________
8 즐겁게 하다 ____________
9 철자를 말하다 ____________
10 미친, 열광적인 ____________

B 빈칸에 알맞은 단어를 [보기]에서 골라 쓰시오. (필요시 형태를 고칠 것)

보기	shake	view	bottom	terrible	cloth

11 The rotten fish smelled ____________.
그 썩은 생선에서 지독한 냄새가 났다.

12 Everyone had different ____________ on the subject.
모든 사람들이 그 주제에 관해 다른 견해들을 가지고 있었다.

13 The cup has a hole on its ____________.
그 컵의 바닥에 구멍이 하나 있다.

14 A quilt is made of pieces of ____________.
퀼트는 천 조각들로 만들어진다.

15 The players ____________ hands with their fans after the game.
경기가 끝난 후 선수들은 팬들과 악수했다.

C 의미가 통하도록 빈칸에 알맞은 단어를 [보기]에서 골라 쓰시오.

보기	dangerous	wrap	crazy	self	amuse

16 If something is ____________, it can hurt you.
17 Your ____________ is your basic personality or nature.
18 When you ____________ something, you cover it with paper.
19 He made funny faces to ____________ the children.
20 I used to see four films a day. I was ____________ about movies.

DAY 18

MP3 파일을 들으면서 단어를 따라 읽어보세요.

---

256 □□ **dead** [ded]

형 죽은

I saw many **dead** trees in the mountains.
나는 산에서 많은 ______ 나무들을 보았다.

+ death 명 죽음
↔ alive 형 살아 있는

---

257 □□ **kill** [kil]

동 죽이다

The hunters **kill** many animals in Africa.
사냥꾼들은 아프리카에 있는 많은 동물들을 ______.

+ killer 명 살인자

---

258 □□ **item** [áitəm]

명 항목, 품목

There are ten **items** on my shopping list.
나의 쇼핑 목록에 10개의 ______이 있다.

sale item
할인 품목

259 □□ **fold**

[fould]

folded towels
개어진 수건들

통 접다 (= bend)

Fold the paper in half.
종이를 반으로 ______.

+ folder 명 폴더
↔ unfold 동 펴다, 펼치다

260 □□ **lift**

[lift]

통 올리다, 들어 올리다 (= raise)

The little girl can **lift** the heavy box.
그 어린 소녀는 무거운 상자를 ______ 수 있다.

Day 18

261 □□ **hang**

[hæŋ]

hang – hung – hung

통 걸다, 매달다

I will **hang** a nice picture on the wall.
나는 멋진 그림 한 점을 벽에 ______ 것이다.

262 □□ **hunt**

[hʌnt]

통 사냥하다

Polar bears **hunt** fish and seabirds.
북극곰은 물고기와 바닷새를 ______.

+ hunter 명 사냥꾼

263 □□ **insect**

[ínsekt]

명 곤충, 벌레

The **insect** has six legs.
______은 여섯 개의 다리를 가지고 있다.

264 □□ **ground**

[graund]

playground
놀이터

명 땅, 토양 (= soil)

The **ground** is covered with snow.
______은 눈으로 덮여 있다.

강세주의

265 **international**
[ìntərnǽʃənəl]

형 국제적인, 국제상의

English is an **international** language.
영어는 ______ 언어이다.

✚ internationally 부 국제적으로

266 **disappear**
[dìsəpíər]

dis[opposite] + appear
→ 사라지다

동 사라지다

The ship **disappeared** in the fog.
그 배는 안개 속으로 ______.

↔ appear 동 나타나다

철자주의

267 **environment**
[inváiərənmənt]

명 환경, 주위

We should protect our **environment**.
우리는 ______을 보호해야 한다.

✚ environmental 형 환경의

268 **make a wish**

소원을 빌다

Make a wish before you blow out the candle.
촛불을 끄기 전에 ______.

269 **make friends**

친구를 사귀다

You can **make friends** through e-mails.
너는 전자 우편을 통해서 ______ 수 있다.

270 **talk about**

…에 대하여 말하다

Let's **talk about** the contest.
그 대회에 ______.

Get More fold의 다양한 뜻

1 동 접다
fold a cloth
천을 접다

2 동 (두 손·팔 등을) 끼다
fold one's arms
팔짱을 끼다

DAY 18 Wrap-up Test

ANSWERS p. 279

A 영어는 우리말로, 우리말은 영어로 쓰시오.

1	environment	________	6	걸다, 매달다	________
2	fold	________	7	곤충, 벌레	________
3	hunt	________	8	항목, 품목	________
4	make a wish	________	9	친구를 사귀다	________
5	international	________	10	…에 대하여 말하다	________

B 빈칸에 알맞은 단어를 [보기]에서 골라 쓰시오. (필요시 형태를 고칠 것)

보기	lift	ground	disappear	dead	kill

11 The bubbles ________ into the air.
물방울들이 공중으로 사라졌다.

12 The earthquake ________ many people.
그 지진이 많은 사람들의 목숨을 빼앗았다.

13 ________ your head and look at the sky.
고개를 들고 하늘을 보아라.

14 A man is putting his cap on the ________.
한 남자가 자신의 모자를 땅에 내려 놓고 있다.

15 She doesn't know if he is alive or ________.
그녀는 그가 살았는지 죽었는지 알지 못한다.

C 설명하는 단어를 [보기]에서 골라 쓰시오.

보기	insect	item	environment	hunt	dead

16 not alive any more ________
17 one thing that is part of a list ________
18 to kill wild animals for food ________
19 small animals that have six legs ________
20 the natural world of land, sea, air, plants and animals ________

DAY 19

MP3 파일을 들으면서
단어를 따라 읽어보세요.

---

271 □□ **labor**
[léibər]

laborer
노동자

명 노동, 근로
동 애쓰다

We get a salary in return for our labor.
우리는 ______의 대가로 봉급을 받는다.

+ laborious 형 힘든

---

272 □□ **pilot**
[páilət]

airline pilot
항공기 조종사

명 비행기 조종사

I want to be a pilot.
나는 ______가 되고 싶다.

---

273 □□ **sore**
[sɔːr]

형 쓰린, 아픈 (= painful)

I have a sore throat.
나는 목이 ______.

274 **mark**
[mɑːrk]

question mark
물음표

명 표시, 부호

This **mark** on the map means a school.
지도상의 이 ______는 학교를 의미한다.

+ maker 명 표시하는 도구

275 **nobody**
[nóubàdi]

대 아무도 … 않다 (= no one)

Nobody answered the phone.
______ 전화를 받지 않았다.

276 **reason**
[ríːzn]

명 이유 (= cause), 구실

There is no **reason** to hurry.
서두를 ______가 없다.

+ reasonable 형 타당한, 이치에 맞는

277 **poem**
[póuəm]

명 시

This is a **poem** about me.
이것은 나에 관한 ______이다.

+ poet 명 시인

철자주의

278 **schedule**
[skédʒu(ː)l]

명 계획 (= plan), 일정 (= timetable)

What's the **schedule** for this weekend?
이번 주말 ______이 뭐니?

발음주의

279 **patient**
[péiʃənt]

명 환자

Patients have to follow the doctor's advice.
______는 의사의 충고를 따라야 한다.

280 □□ **nation** [néiʃən]

명 국가 (= country), 국민

Vatican is the smallest **nation** in the world.
바티칸은 세계에서 가장 작은 ______이다.

+ national 형 국가의

281 □□ **social** [sóuʃəl]

형 사회의, 사회적인

Man is a **social** animal.
인간은 ______ 동물이다.

+ society 명 사회
socially 부 사회적으로

282 □□ **sand** [sǽnd]

sand dune
모래 언덕

명 모래

We made a **sand** castle.
우리는 ______성을 만들었다.

+ sandy 형 모래의

283 □□ **try to**

…하려고 노력하다

I **tried to** win the race.
나는 그 경주에서 우승______.

284 □□ **a few**

몇몇의, 약간

I invited **a few** friends to the party.
나는 ______ 친구들을 파티에 초대했다.

285 □□ **be poor at**

…에 서툴다

I **am poor at** cooking.
나는 요리에 ______.

↔ be good at …을 잘하다

Get More patient의 다양한 뜻

1 명 환자, 병자
a cancer **patient**
암 환자

2 형 인내심 있는
Be **patient**!
인내심을 가져라!

DAY 19

Wrap-up Test

✎ ANSWERS p. 279

A 영어는 우리말로, 우리말은 영어로 쓰시오.

1	patient	________	6	노동, 근로, 애쓰다	________
2	poem	________	7	표시, 부호	________
3	try to	________	8	…에 서툴다	________
4	pilot	________	9	사회적인, 사회의	________
5	schedule	________	10	몇몇의, 약간	________

B 빈칸에 알맞은 단어를 [보기]에서 골라 쓰시오. (필요시 형태를 고칠 것)

보기	nation	reason	sand	nobody	sore

11 ________ is perfect.
아무도 완벽하지는 않다.

12 My arm is a little ________.
팔이 조금 아프다.

13 Each ________ has its own culture.
각각의 나라들은 그들 고유의 문화를 가지고 있다.

14 That's the ________ he studies very hard.
그것이 그가 공부를 열심히 하는 이유이다.

15 The children buried their hands in the ________.
아이들은 손을 모래 속에 묻었다.

C 설명과 일치하는 단어를 골라 ✔표시를 하시오.

16	a written or printed symbol	☐ item	☐ mark
17	a person who controls an airplane	☐ pilot	☐ police
18	a list of planned activities or things	☐ schedule	☐ view
19	a piece of writing with beautiful words and rhythms	☐ poem	☐ poet
20	a person who receives medical treatment from a doctor	☐ nation	☐ patient

DAY 20

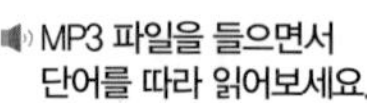

---

286 ☐☐ **clerk** [kləːrk]

명 판매원, 점원

The **clerk** asked me, "Can I help you?"

그 ____ 은 나에게 "도와 드릴까요?"라고 말했다.

sales clerk
점원

---

287 ☐☐ **bowl** [boul]

명 사발, 공기

Put the vegetables into a **bowl**.

야채들을 ____ 에 담아라.

mixing bowl
(샐러드 등을) 섞는 사발

---

288 ☐☐ **brain** [brein]

명 뇌

When you laugh, your **brain** works better.

네가 웃으면, 너의 ____ 는 더욱 활발하게 활동한다.

발음주의

289 **flour**

[fláuər]

명 밀가루

Beat the eggs and add the flour and sugar.

달걀을 휘저은 다음 ______ 와 설탕을 넣어라.

290 **total**

[tóutl]

형 전체의, 총계의

명 합계 (= sum)

The total number of students is twenty in this class.

이 교실에 있는 학생들의 ______ 수는 20명이다.

Day 20

발음주의

291 **throat**

[θrout]

명 목구멍

I will gargle with salt water to cure my sore throat.

나는 아픈 ______ 을 치료하기 위해 소금물로 양치할 것이다.

292 **common**

[kámən]

형 평범한, 흔한

Kim is a common Korean surname.

김은 ______ 한국의 성(姓)이다.

↔ uncommon 형 드문

293 **treat**

[triːt]

동 치료하다, 처치하다

The nurse treated her for cuts.

그 간호사는 그녀의 베인 상처를 ______.

+ treatment 명 치료, 치료법

294 **custom**

[kʌ́stəm]

명 관습, 풍습 (= tradition)

It is the custom of the country.

그것이 그 나라의 ______ 이다.

295 □□ **electric** [iléktrik]

electric fan
선풍기

형 전기의, 전기를 띤

Bake bread in the **electric** oven.
빵을 ______ 오븐에 구워라.

+ electricity 명 전기

296 □□ **create** [kriéit]

동 창조하다 (= make), 창작하다

Gogh **created** many beautiful works of art.
고흐는 많은 아름다운 그림들을 ______.

+ creation 명 창조
creative 형 창조적인

297 □□ **function** [fʌ́ŋkʃən]

명 기능, 작용

The new machine has a lot of **functions**.
그 새 기계에는 많은 ______이 있다.

298 □□ **at the age of**

…의 나이에

He became the president **at the age of** 39.
그는 39 ______ 대통령이 되었다.

299 □□ **back and forth**

앞뒤로, 이리저리

He walked **back and forth**.
그는 ______ 서성이며 거닐었다.

300 □□ **take a walk**

산책하다

I **take a walk** after dinner with my sister.
나는 저녁식사 후에 여동생과 함께 ______.

Get More 동사를 명사로 만드는 -tion

1 **create** 동 창조하다
→ **creation** 명 창조
job **creation** 일자리 창출

2 **celebrate** 동 축하하다
→ **celebration** 명 축하
New Year **celebration** 신년 축하

DAY 20 Wrap-up Test

ANSWERS p. 279

A 영어는 우리말로, 우리말은 영어로 쓰시오.

1 bowl ____________
2 flour ____________
3 clerk ____________
4 custom ____________
5 common ____________
6 전기의, 전기를 띤 ____________
7 앞뒤로, 이리저리 ____________
8 기능, 작용 ____________
9 …의 나이에 ____________
10 산책하다 ____________

B 빈칸에 알맞은 단어를 [보기]에서 골라 쓰시오. (필요시 형태를 고칠 것)

보기	throat	brain	create	total	treat

11 Doctors ____________ her with a new drug.
의사들은 그녀를 새로운 약으로 치료했다.

12 I want to ____________ a small baseball team.
나는 작은 야구팀을 만들고 싶다.

13 She had a sore ____________ and couldn't speak.
그녀는 목이 아파서 말을 할 수가 없었다.

14 I had a good ____________ and teachers liked me.
나는 머리가 좋았고 선생님들은 나를 좋아하셨다.

15 ____________ flight time from Jeju to Tokyo will be about two hours.
제주에서 도쿄까지 총 비행 시간은 2시간 정도 될 것이다.

C 괄호 안의 지시에 맞는 단어를 골라 ✓표시를 하시오.

16 treat (명사형) ☐ treatment ☐ treaty
17 total (유의어) ☐ sum ☐ some
18 create (명사형) ☐ creative ☐ creation
19 electric (명사형) ☐ electricity ☐ election
20 common (반의어) ☐ incommon ☐ uncommon

DAY 16~20 Review Test

ANSWERS p. 279

다음 우리말에 맞게 빈칸에 주어진 철자로 시작하는 단어를 쓰시오.

DAY 16

1	필기하다, 기록하다	make a **n**_________
2	주된 관심사	the **m**_________ concern
3	역할 모델, 본보기	a **r**_________ model
4	주간 잡지	a weekly **m**_________
5	산호섬	a coral **i**_________
6	규칙적인 식사	**r**_________ meal

DAY 17

7	손수 하기	**s**_________ service
8	거꾸로	**b**_________ up
9	한 조각의 천	a piece of **c**_________
10	위험한 장소	a **d**_________ place
11	악수하다	**s**_________ hands
12	선물을 포장하다	**w**_________ a present

DAY 18

13	진흙투성이의 땅	muddy **g**_________
14	우산을 접다	**f**_________ an umbrella
15	국제공항	an **i**_________ airport
16	수집가의 물건	a collector's **i**_________
17	양손을 들어 올리다	**l**_________ both hands
18	모자를 걸이에 걸다	**h**_________ a hat on a hook

DAY 19

19	모래 한 줌	a handful of **s**_________
20	의문 부호, 물음표	a question **m**_________
21	사회 활동	a **s**_________ activity
22	예정보다 늦게	behind **s**_________
23	환자를 치료하다	treat a **p**_________
24	우호적인 국가	a friendly **n**_________

DAY 20

25	머리가 좋다	have a good **b**_________
26	밀가루를 체로 치다	sift **f**_________
27	전체 비용	the **t**_________ cost
28	상식	**c**_________ sense
29	옛 관습을 어기다	break an old **c**_________
30	전기 자동차	an **e**_________ car

기본 전치사 04 of

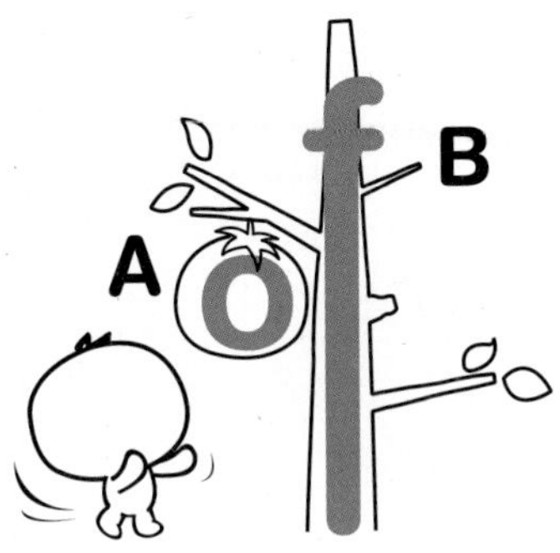

전치사 살펴보기

전치사 of는 기본적으로 '…의, …에 관한'이라는 뜻을 갖고 있습니다.

부분 (…의)
a friend **of** mine 나의 친구
the lid **of** a kettle 주전자의 뚜껑
the gate **of** the house 그 집의 문
the tail **of** my cat 내 고양이의 꼬리
a member **of** the team 그 팀의 일원

관련 (…에 관한)
a book **of** science 과학에 관한 책
a lecture **of** history 역사에 관한 강의
a matter **of** choice 선택에 관한 문제
a story **of** success 성공에 관한 이야기
a story **of** adventure 모험에 관한 이야기

문장 속에서 보는 전치사

She is a friend **of** mine. 그녀는 나의 친구이다.

The tail **of** my cat is short. 내 고양이의 꼬리는 짧다.

I lent a book **of** science. 나는 과학에 관한 책을 대여했다.

Jack is a member **of** the team. Jack은 그 팀의 일원이다.

I like a story **of** adventure. 나는 모험에 관한 이야기를 좋아한다.

DAY 21

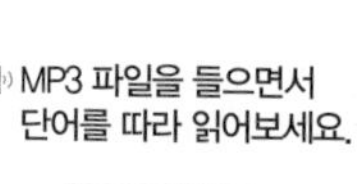

301 □□ **produce**
[prədjúːs]

product code
제품 바코드

동 생산하다 (= create)

This factory **produces** steel.
이 공장은 강철을 ______.

+ product 명 생산품
  producer 명 생산자

302 □□ **spread**
[spred]

spread – spread – spread

동 펼치다 (= extend), 퍼지다

The eagle **spread** its wings.
독수리가 날개를 ______.

303 □□ **appear**
[əpíər]

동 나타나다

A wolf **appeared** behind a tree.
늑대 한 마리가 나무 뒤에서 ______.

+ appearance 명 출현
↔ disappear 동 사라지다

304 **pleasure**
[pléʒər]

명 기쁨 (= joy, happiness)

You give me great **pleasure**.
너는 나에게 큰 ______ 을 준다.

+ pleasant 형 즐거운

305 **calm**
[kɑːm]

형 고요한 (= peaceful), 차분한

My mom is always **calm**.
우리 엄마는 언제나 ______ 하다.

+ calmly 부 고요하게

306 **crowd**
[kraud]

명 군중 (= group, mass)

A **crowd** gathered around the actor.
______ 들이 그 배우 주위로 모여들었다.

발음주의

307 **gas**
[gæs]

gas station
주유소

명 기체, 휘발유 (= gasoline)

We are out of **gas**.
우리는 ______ 가 다 떨어졌다.

308 **above**
[əbʌ́v]

전 부 … 위에 (= over, upon)

the moon **above** the hill
언덕 ______ 달

↔ below 전 부 … 아래

309 **symbol**
[símbəl]

symbol of peace
평화의 상징

명 상징 (= trademark), 표시

This is the **symbol** for recycling.
이것이 재활용을 위한 ______ 이다.

+ symbolize 동 상징하다

Day 21

310 **trouble**
[trʌ́bl]

명 문제 (= problem), 걱정 (= worry)

Did you have any **trouble**?
너 무슨 ______ 있었니?

+ troublesome 형 성가신

311 **skin**
[skin]

명 피부; 껍질

He slipped on a banana **skin**.
그는 바나나 ______을 밟아서 미끄러졌다.

+ skinny 형 바짝 마른

312 **lamp**
[læmp]

Aladdin's lamp
알라딘의 램프

형 램프, 조명 장치

A genie came out of the magic **lamp**.
요정이 요술 ______에서 나왔다.

313 **break into**

…에 침입하다

The robber **broke into** my house.
강도가 우리 집에 ______.

314 **dream of**

…을 꿈꾸다

I'm **dreaming of** a white Christmas.
나는 눈 내리는 크리스마스를 ______.

315 **come from**

… 출신이다 (= be from)

He **came from** Canada.
그는 캐나다 ______.

Get More '성질'을 나타내는 -some

1 **trouble** 명 문제
→ **troublesome** 형 성가신
a **troublesome** work
귀찮은 일

2 **awe** 명 놀라움
→ **awesome** 형 놀라운, 멋진
It's **awesome**!
멋진데!

DAY 21 # Wrap-up Test

ANSWERS p. 280

A 영어는 우리말로, 우리말은 영어로 쓰시오.

1 gas ____________
2 crowd ____________
3 come from ____________
4 symbol ____________
5 dream of ____________
6 … 위에 ____________
7 고요한, 차분한 ____________
8 침입하다 ____________
9 피부, 껍질 ____________
10 램프, 조명 장치 ____________

B 빈칸에 알맞은 단어를 [보기]에서 골라 쓰시오. (필요시 형태를 고칠 것)

보기	spread	produce	appear	pleasure	trouble

11 She is in ____________.
그녀는 어려움에 처해 있다.

12 He ____________ a carpet on the floor.
그는 바닥에 카펫을 펼쳤다.

13 A ghost usually ____________ at night.
유령은 주로 밤에 나타난다.

14 The company ____________ about 9,000 cars a year.
그 회사는 1년에 약 9,000대의 차를 생산한다.

15 You don't have to say, "Thank you." It's my ____________.
'고맙다'고 말할 필요 없어. 그건 나의 기쁨이야.

C 설명하는 단어를 [보기]에서 골라 쓰시오.

보기	gas	skin	symbol	pleasure	calm

16 a sign or object that is used to show something ____________
17 a feeling of happiness or enjoyment ____________
18 something like air used for heating or cooking ____________
19 relaxed and not worried, frightened or excited ____________
20 the natural outer layer that covers a person's body ____________

DAY 22

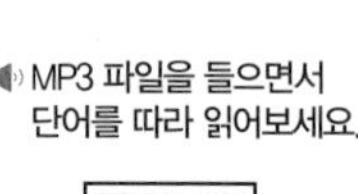
MP3 파일을 들으면서
단어를 따라 읽어보세요.

316 □□ **favorite** [féivərit]

형 (가장) 선호하는

What is your **favorite** subject?
네가 ______ 과목은 무엇이니?

317 □□ **serious** [síəriəs]

serious injury
중상

형 심각한, 진지한

I have a **serious** problem.
나는 ______ 문제를 가지고 있다.

+ seriously 부 심각하게

강세주의

318 □□ **expression** [ikspréʃən]

명 표현, 표정 (= look)

Now let's practice this **expression**.
자, 이 ______을 연습해 봅시다.

+ express 동 표현하다
expressive 형 (감정 등을) 나타내는

319 **interview**
[íntərvjùː]

inter[in]+view[see]
속을 들여다보다 → 면접하다

명 면접
동 면접하다

I'm nervous, because I have a job **interview** tomorrow.
나는 내일 구직 ______ 이 있어서 긴장된다.

+ interviewee 명 면접 대상자
interviewer 명 면접관

320 **public**
[pʌ́blik]

public transportation
대중교통

형 공공의, 대중의

Public libraries are open to everyone.
______ 도서관은 누구에게나 열려있다.

Day 22

321 **golden**
[góuldən]

형 금의, 금빛의

The hen laid **golden** eggs.
그 암탉은 ______ 달걀을 낳았다.

+ gold 명 금

322 **background**
[bǽkgràund]

명 배경

background knowledge
______ 지식

323 **actually**
[ǽktʃuəli]

부 실제로, 실은

I don't know the answer **actually**.
______ 저는 정답을 몰라요.

+ actual 형 사실상

324 **joke**
[dʒouk]

명 농담

It's a silly **joke**.
그것은 실없는 ______ 이다.

325 **serve**
[səːrv]

동 대접하다, 섬기다

He **served** dinner to me.
그는 나에게 저녁을 ______.

+ serving 명 접대, 시중
servant 명 하인

---

326 **kiss**
[kis]

blow a kiss
키스를 보내다

명 입맞춤
동 입맞춤하다

My mom gave me a **kiss**.
엄마는 나에게 ______ 했다.

---

327 **stage**
[steidʒ]

명 무대

Look at the singers on the **stage**.
______ 위의 가수들을 봐라.

---

328 **cry out**

외치다 (= shout)

I **cried out** for help.
나는 도와달라고 ______.

---

329 **be bad for**

…에 나쁘다

Watching TV too much **is bad for** children.
TV를 너무 많이 보는 것은 아이들에게 ______.

↔ be good for …에 좋다

---

330 **be late for**

…에 늦다

He **is** always **late for** school.
그는 항상 학교에 ______.

Get More 동사를 만드는 -en

1 **dark** 형 어두운
→ **darken** 동 어두워지다
It is **darkening**.
(날이) 어두워지고 있다.

2 **length** 명 길이
→ **lengthen** 동 늘이다, 연장하다
The drugs **lengthen** our life spans.
그 약은 우리의 수명을 늘려 준다.

DAY 22 Wrap-up Test

ANSWERS p. 280

A 영어는 우리말로, 우리말은 영어로 쓰시오.

1 background ____________ 6 금의, 금빛의 ____________
2 joke ____________ 7 외치다 ____________
3 serious ____________ 8 봉사하다, 섬기다 ____________
4 kiss ____________ 9 …에 나쁘다 ____________
5 actually ____________ 10 …에 늦다 ____________

B 빈칸에 알맞은 단어를 [보기]에서 골라 쓰시오. (필요시 형태를 고칠 것)

보기	favorite	expression	interview	serve	public

11 Today I have a job ____________.
오늘 나는 구직 면접이 있어.

12 A banana is my ____________ fruit.
바나나는 내가 제일 좋아하는 과일이다.

13 His ____________ was a little bit rude.
그의 표현은 약간 무례했다.

14 We should be quiet in ____________ places.
우리는 공공장소에서 조용히 해야 한다.

15 She prepared breakfast by herself and ____________ it to her parents.
그녀는 혼자 아침을 준비해서 부모님께 대접했다.

C 설명하는 단어를 [보기]에서 골라 쓰시오.

보기	stage	golden	public	joke	background

16 the place for actors' performing ____________
17 a bright yellow color or made of gold ____________
18 not for private but for everyone to use fairly ____________
19 the area that is behind the main thing ____________
20 something that you say to make people laugh ____________

DAY 23

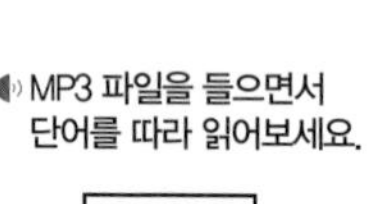

MP3 파일을 들으면서
단어를 따라 읽어보세요.

---

331 **pity**
[píti]

명 동정 (= sympathy); 애석한 일
동 가엽게 여기다

What a pity!
정말 ______ 이구나!

+ pitiful 형 가엾은

강세주의

332 **incredible**
[inkrédəbl]

형 놀라운 (= unbelievable), 굉장한

He has an incredible memory.
그는 ______ 기억력을 가지고 있다.

↔ credible 형 믿을 만한

incredible story
놀라운 이야기

---

333 **asleep**
[əslíːp]

형 잠든

The child fell fast asleep.
그 아이는 깊이 ______ 상태이다.

↔ awake 형 깨어 있는

334 **amount**
[əmáunt]

명 양, 총액 (= total)

He can memorize a large **amount** of information.
그는 많은 ______ 의 정보를 외울 수 있다.

335 **novel**
[návəl]

명 소설 (= fiction)

I like adventure **novels**.
나는 모험 ______ 을 좋아한다.

336 **adventure**
[ædvéntʃər]

Adventures of Tom Sawyer
톰소여의 모험

명 모험

Sailors usually like **adventure**.
선원들은 대개 ______ 을 좋아한다.

+ adventurer 명 모험가

337 **tear**
명 [tíər]
동 [tɛər]

tear – tore – torn

명 눈물 (= teardrop)
동 찢다

Tears dropped from my eyes.
내 눈에서 ______ 이 흘러내렸다.

338 **express**
[iksprés]

동 표현하다 (= show)
형 급행의 (= fast)

I want to **express** my thanks to all my teachers.
나는 모든 선생님들께 감사의 마음을 ______ 하고 싶다.

+ expression 동 표현
expressive 형 표현이 풍부한

339 **safety**
[séifti]

safety hat
안전모

명 안전 (= security)

Safety is important to everyone.
______ 은 모두에게 중요하다.

+ safe 형 안전한

Day 23

340 **yard**

[jɑːrd]

명 마당, 뜰 (= garden)

I want to live in a house with a **yard**.

나는 ______ 이 있는 집에 살고 싶다.

철자주의

341 **soap**

[soup]

명 비누

Rinse the **soap** off your face.

너의 얼굴의 ______ 를 씻어내라.

342 **title**

[táitl]

명 제목 (= name)

Do you know the **title** of this song?

너는 이 노래의 ______ 을 알고 있니?

343 **blow up**

부풀리다 (= expand); 폭파하다 (= burst)

Blow up a balloon and tie it.

풍선을 ______ 고 묶으세요.

344 **be famous for**

…로 유명하다 (= be well-known as)

Sydney **is famous for** its Opera House.

시드니는 오페라하우스로 ______.

345 **by -ing**

…함으로써 (= by means of)

We learn **by listening**.

우리는 ______ 배운다.

Get More tear의 다양한 뜻

1 명 눈물 [tiər]

Her eyes were filled with **tears**.

그녀는 눈물이 글썽글썽했다.

2 동 찢다 [tɛər]

He **tore** at the wrapping of the package.

그는 그 소포의 포장지를 잡아 찢었다.

DAY 23 Wrap-up Test

ANSWERS p. 280

A 영어는 우리말로, 우리말은 영어로 쓰시오.

1 soap ____________
2 incredible ____________
3 adventure ____________
4 safety ____________
5 be famous for ____________
6 눈물, 찢다 ____________
7 양, 총액 ____________
8 제목 ____________
9 …함으로써 ____________
10 부풀리다, 폭파하다 ____________

B 빈칸에 알맞은 단어를 [보기]에서 골라 쓰시오. (필요시 형태를 고칠 것)

보기	asleep	pity	yard	express	novel

11 He is always sick. It is a(n) ____________.
그는 항상 아프다. 그것은 안타까운 일이다.

12 My favorite ____________ is "*Harry Potter*."
내가 가장 좋아하는 소설은 「해리 포터」이다.

13 The film was boring, so I fell ____________.
영화가 지루해서, 나는 잠이 들어버렸다.

14 The children were playing in the front ____________.
그 아이들은 앞 마당에서 놀고 있었다.

15 I don't understand. Can you ____________ your idea clearly?
나는 이해할 수 없어. 네 생각을 명확하게 표현해 줄 수 있겠니?

C 괄호 안의 지시에 맞는 단어를 골라 ✓표시를 하시오.

16 yard(유의어) □golden □garden
17 novel(유의어) □fiction □cartoon
18 express(명사형) □expression □expressive
19 safety(형용사형) □safe □security
20 incredible(유의어) □believable □unbelievable

DAY 24

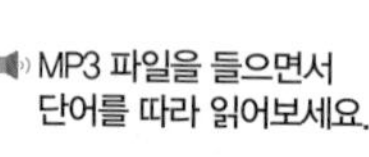

346 □□ **assignment** [əsáinmənt]

명 숙제 (= homework), 과제

I should finish the **assignment** by tomorrow.

나는 내일까지 그 ______ 를 끝내야 한다.

✚ assign 동 맡기다, 부과하다

347 □□ **shoot** [ʃuːt]

shoot – shot – shot

shooting
사격

동 (총을) 쏘다, 발사하다

The hunter **shot** the wolf with the gun.

사냥꾼은 총으로 늑대를 ______.

✚ shot 명 발사, 발포

348 □□ **whole** [houl]

형 전체의 (= total), 완전한

I ate the **whole** pizza myself.

나 혼자 피자 ______ 를 먹었다.

✚ wholly 부 완전히

349 **reach**
[riːtʃ]

동 …에 도착하다 (= arrive at)

The boat **reached** the shore.
배가 해안에 ______.

350 **print**
[print]

동 인쇄하다
명 인쇄, 인쇄물 (= copy)

This printer **prints** thirty pages a minute.
이 인쇄기는 1분에 30장을 ______.

✚ printer 명 인쇄기

351 **moment**
[móumənt]

명 순간 (= minute), 잠깐

Just wait a **moment**.
______ 기다리세요.

352 **stretch**
[stretʃ]

stretching
스트레칭

동 잡아 늘이다, 펴다 (= spread)

We stood up to **stretch** our legs.
우리는 다리를 ______ 위해 일어섰다.

✚ stretching 명 늘어남; 근육 등을 펴 주는 운동

353 **heat**
[hiːt]

명 열, 더위

the **heat** of the day
한낮의 ______

✚ hot 형 뜨거운
↔ cold 명 추위 형 추운

354 **office**
[ɔ́(ː)fis]

office worker
사무원

명 사무실, 회사

She works at our **office**.
그녀는 우리 ______ 에서 일한다.

✚ official 형 공식적인

Day 24

355 **stress**
[stres]

명 압박감 (= pressure); 강세

My headache is caused by **stress**.
내 두통은 ______ 때문이다.

✚ stressful 형 스트레스 쌓이는

발음주의

356 **huge**
[hjuːdʒ]

형 거대한 (= big, gigantic)

Here comes a **huge** wave.
______ 파도가 다가온다.

↔ tiny 형 조그마한

357 **tail**
[teil]

명 꼬리

My dog has a short **tail**.
나의 개는 짧은 ______를 가지고 있다.

↔ head 명 머리

358 **care about**

…에 마음 쓰다 (= be worried about)

She doesn't **care about** other people.
그녀는 다른 사람들에 대해 ______ 않는다.

359 **be born in**

…에서 태어나다

My son **was born in** New York.
나의 아들은 뉴욕에서 ______.

360 **between ~ and …**

~와 … 사이에

The English Channel lies **between** the North Sea **and** the Atlantic.
영국해협은 북해와 대서양 ______ 있다.

Get More 혼동하기 쉬운 발음

1 **heat** [hiːt] 명 열, 더위
hit [hit] 동 치다

2 **reach** [riːtʃ] 동 …에 도착하다
rich [ritʃ] 형 부유한

DAY 24 Wrap-up Test

ANSWERS p. 280

A 영어는 우리말로, 우리말은 영어로 쓰시오.

1	whole	___________	6	열, 더위	___________
2	moment	___________	7	압박감, 강세	___________
3	office	___________	8	인쇄하다, 인쇄물	___________
4	assignment	___________	9	~와 … 사이에	___________
5	be born in	___________	10	…에 마음 쓰다	___________

B 빈칸에 알맞은 단어를 [보기]에서 골라 쓰시오. (필요시 형태를 고칠 것)

보기 reach stretch shoot huge tail

11 We ___________ London late at night.

우리는 밤늦게 런던에 도착했다.

12 He was ___________ in the left arm.

그는 왼쪽 팔에 총을 맞았다.

13 ___________ your arms as high as you can.

너의 팔을 가능한 한 높이 뻗어라.

14 Look at that peacock's beautiful ___________.

저 공작새의 아름다운 꼬리 좀 봐.

15 She is very rich. She lives in a ___________ house.

그녀는 매우 부유하다. 그녀는 거대한 저택에서 산다.

C 설명하는 단어를 [보기]에서 골라 쓰시오.

보기 assignment tail heat moment stress

16 a very short period of time ___________

17 the quality of being hot or warm ___________

18 a piece of work or job that you are given to do ___________

19 feelings of worry caused by difficult situations ___________

20 the long, narrow part at the back of an animal's body ___________

DAY 25

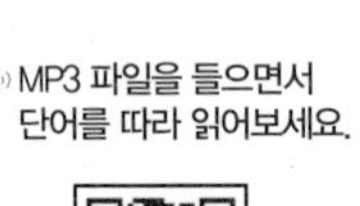

MP3 파일을 들으면서
단어를 따라 읽어보세요.

---

361 □□ **product** [prádəkt]

main product
주요 생산품

명 생산품 (= goods), 산출물

The clerk put a price on the **product**.
점원은 ______ 에 가격을 매겼다.

✚ production 명 생산, 제조
produce 동 생산하다

---

362 □□ **search** [səːrtʃ]

동 찾다, 수색하다

I have **searched** for it on the Internet.
나는 그것을 인터넷에서 ______ .

✚ searcher 명 수색자

강세주의

363 □□ **connect** [kənékt]

동 연결하다 (= link, join)

This bridge **connects** New York and New Jersey.
이 다리는 뉴욕과 뉴저지를 ______ .

✚ connection 명 연결

364 □□ **friendship**
[fréndʃip]

명 우정

Our **friendship** will be forever.
우리의 ______ 은 영원할 것이다.

+ friend 명 친구
friendly 형 친근한

365 □□ **promise**
[prámis]

명 약속 (= appointment)
동 약속하다

My boyfriend broke his **promise**.
내 남자친구는 ______ 을 어겼다.

366 □□ **human**
[hjúːmən]

명 인간 (= man)
형 인간의

I am against **human** cloning.
나는 ______ 복제에 반대한다.

+ humane 형 인도적인, 인정 있는

367 □□ **shine**
[ʃain]

shine – shone – shone

sunshine
햇살

동 빛나다 (= flash)

The sun **shines** brightly.
태양이 환하게 ______.

+ shiny 형 빛나는

368 □□ **rope**
[roup]

명 끈 (= string), 밧줄

He tied the giant with a **rope**.
그는 거인을 ______ 으로 묶었다.

369 □□ **since**
[sins]

접 전 …이래로

I have lived here **since** I was a baby.
나는 아기였을 때 ______ 이곳에 죽 살아왔다.

발음주의

370 **tour** [tuər]

tour bus
관광버스

명 관광
동 여행하다 (= travel)

She went on a **tour** in Europe.
그녀는 유럽으로 ______ 을 갔다.

+ tourist 명 여행객

371 **below** [bilóu]

전 부 …보다 아래에 (= under)

the water **below** the bridge
다리 ______ 있는 물

↔ above 전 부 … 위에

372 **stamp** [stæmp]

명 우표
동 밟다 (= step)

I bought a **stamp** and put it on the envelope.
나는 ______ 를 사서 편지봉투에 붙였다.

373 **change ~ into …**

~를 …로 바꾸다

Cold air **changes** rain **into** snow.
차가운 공기가 비를 눈으로 ______.

374 **fall in love with**

…와 사랑에 빠지다

The beauty **fell in love with** the beast.
미녀는 야수와 ______.

375 **be angry with**

…에 화가 나다

My parents **were angry with** me.
부모님께서 나에게 ______.

Get More stamp의 다양한 뜻

1 명 우표
a memorial **stamp**
기념 우표

2 동 (발을) 구르다
stamp one's feet in anger
화가 나서 발을 동동 구르다

DAY 25 Wrap-up Test

ANSWERS p. 281

A 영어는 우리말로, 우리말은 영어로 쓰시오.

1 product ____________
2 connect ____________
3 below ____________
4 tour ____________
5 change ~ into … ____________
6 우정 ____________
7 끈, 밧줄 ____________
8 찾다, 수색하다 ____________
9 …에 화가 나다 ____________
10 …와 사랑에 빠지다 ____________

B 빈칸에 알맞은 단어를 [보기]에서 골라 쓰시오. (필요시 형태를 고칠 것)

보기	since	shine	human	promise	stamp

11 I have a ____________ to keep.
나는 지켜야 할 약속이 있다.

12 My hobby is collecting foreign ____________.
나의 취미는 외국 우표들을 모으는 것이다.

13 I have known her ____________ she was a child.
나는 그녀가 아이였을 때부터 죽 알아 왔다.

14 The stars ____________ more brightly in the night sky.
별들은 밤하늘에서 더욱 밝게 빛난다.

15 ____________ beings are more intelligent than other animals.
인간은 다른 동물들보다 더욱 머리가 좋다.

C 설명하는 단어를 [보기]에서 골라 쓰시오.

보기	product	stamp	tour	rope	friendship

16 the state or condition of being a friend ____________
17 a very thick string made from twisted thread ____________
18 something that is made or grown to be sold ____________
19 a visit to a place, area or country ____________
20 a small piece of paper that you stick on an envelope ____________

DAY 21~25 Review Test

ANSWERS p. 281

다음 우리말에 맞게 빈칸에 주어진 철자로 시작하는 단어를 쓰시오.

DAY 21

1	날개를 펼치다	**s**__________ wings
2	유람선	a **p**__________ boat
3	침착하다	keep **c**__________
4	말썽꾸러기	a **t**__________ maker
5	독가스	a poison **g**__________
6	피부암	**s**__________ cancer

DAY 22

7	면접 (시험)	a job **i**__________
8	자기 표현	self-**e**__________
9	황금 시대	the **g**__________ age
10	배경음악	**b**__________ music
11	공무원	a **p**__________ officer
12	국제 무대	the international **s**__________

DAY 23

13	자기 연민	self-**p**__________
14	놀라운 뉴스	**i**__________ news
15	역사소설	a historical **n**__________
16	고속도로	an **e**__________ highway
17	안전 점검	a **s**__________ check
18	뒤뜰	a back **y**__________

DAY 24

19	전 세계	the **w**__________ world
20	컬러 인쇄	color **p**__________
21	진실의 순간	the **m**__________ of truth
22	진료실	a doctor's **o**__________
23	단어 강세	word **s**__________
24	공작새의 꼬리	a peacock's **t**__________

DAY 25

25	수색대	a **s**__________ party
26	선을 연결하다	**c**__________ the lines
27	우표 수집	**s**__________ collecting
28	약속을 지키다	keep the **p**__________
29	관광 여행	a sightseeing **t**__________
30	줄넘기 하다	jump the **r**__________

기본 전치사 05 with

전치사 살펴보기

전치사 with는 기본적으로 '…와 함께, …으로'라는 뜻을 갖고 있습니다.

동반 (…와 함께)	도구, 수단 (…으로)
with me 나와 함께	**with** water 물로
with you 너와 함께	**with** fruit 과일로
with us 우리와 함께	**with** a knife 칼로
with my teacher 선생님과 함께	**with** a pen 펜으로
with my friends 내 친구들과 함께	**with** a spoon 숟가락으로

문장 속에서 보는 전치사

Please come **with** us. 우리와 함께 가자.

I will stay **with** you. 나는 너와 함께 있을 거야.

Will you dance **with** me? 나와 함께 춤추겠니?

Beat the egg **with** a spoon. 숟가락으로 계란을 풀어라.

You must write answers **with** a pen. 너는 펜으로 답을 적어야 한다.

DAY
26

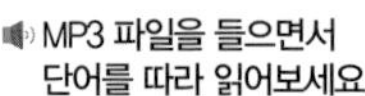
MP3 파일을 들으면서
단어를 따라 읽어보세요.

376 □□ **fit**
[fit]

fit – fit – fit

동 맞다
형 꼭 맞는 (= suitable)

The yellow coat **fits** you perfectly.
그 노란 코트가 너에게 완벽히 ______.

+ fitting 명 맞춤

발음주의

377 □□ **weigh**
[wei]

weighing machine
계량기

동 무게가 … 나가다

My dog **weighs** three kilograms.
우리 강아지는 3kg이 ______.

+ weight 명 무게

378 □□ **avenue**
[ǽvənjùː]

명 거리 (= street, road), 대로

New York's 5th **Avenue** is the most expensive street in the world.
뉴욕의 5번가는 세상에서 가장 비싼 ______이다.

379 **toward**
[təwɔ́:d]

전 …을 향하여

Go **toward** the north.
북쪽을 [ ] 가거라.

380 **opinion**
[əpínjən]

명 의견 (= view)

In my **opinion**, it's wrong.
나의 [ ] 으로는, 그것은 틀렸다.

381 **diet**
[dáiət]

Diet Coke
다이어트 콜라

명 식이요법, 음식물 (= food)

I am on a **diet**.
나는 [ ] 중이다.

382 **bone**
[boun]

명 뼈

I threw a **bone** to the dog.
나는 개에게 [ ] 를 하나 던져주었다.

383 **examine**
[igzǽmin]

동 검사하다 (= check, test)

I'll **examine** your English skills.
내가 너의 영어 실력을 [ ] 할 것이다.

+ examination(= exam) 명 시험

384 **service**
[sə́:rvis]

명 봉사, 수고 (= help), 서비스

The restaurant gives the best **service**.
그 음식점은 최고의 [ ] 를 한다.

+ serve 동 섬기다

Day 26

385 **thick**
[θik]

형 두꺼운, 짙은

This **thick** blanket is so heavy.
이 ______ 담요는 정말 무겁다.

↔ thin 형 얇은

강세주의

386 **desert**
[dézəːrt]

Sahara Desert
사하라 사막

명 사막

Camels live in the **desert**.
낙타는 ______에 산다.

387 **marry**
[mǽri]

동 …와 결혼하다

Would you **marry** me?
나와 ______해 주겠소?

+ marriage 명 결혼
↔ divorce 동 이혼하다

388 **be worried about**

…에 대해 걱정하다 (= be concerned about)

I **am worried about** the math test tomorrow.
나는 내일 수학시험이 ______.

389 **catch a cold**

감기에 걸리다 (= have a cold)

Please close the window. I **caught a cold**.
창문을 닫아 주세요. 저는 ______.

390 **be proud of**

…을 자랑스럽게 여기다 (= take pride in)

My parents **are proud of** me.
나의 부모님은 나를 ______.

Get More thick의 다양한 뜻

1 형 두꺼운
It was as **thick** as a thumb.
그것은 엄지 손가락만큼 두꺼웠다.

2 형 짙은
He has **thick** eyebrows.
그는 짙은 눈썹을 지녔다.

DAY 26 Wrap-up Test

ANSWERS p. 281

A 영어는 우리말로, 우리말은 영어로 쓰시오.

1 opinion ____________
2 diet ____________
3 catch a cold ____________
4 examine ____________
5 toward ____________
6 맞다, 꼭 맞는 ____________
7 거리, 대로 ____________
8 …에 대해 걱정하다 ____________
9 봉사, 수고, 서비스 ____________
10 …을 자랑스럽게 여기다 ____________

B 빈칸에 알맞은 단어를 [보기]에서 골라 쓰시오. (필요시 형태를 고칠 것)

보기	weigh	opinion	desert	marry	thick

11 The beauty ____________ the beast.
미녀는 야수와 결혼했다.

12 There is little water in the ____________.
사막에는 물이 거의 없다.

13 I don't think so. What's your ____________?
나는 그렇게 생각 안 해. 너의 의견은 어떠니?

14 Is it heavy? How much does it ____________?
그거 무겁니? 무게가 얼마나 나가니?

15 I have to finish this ____________ book by tomorrow.
나는 내일까지 이 두꺼운 책을 다 읽어야 한다.

C 설명하는 단어를 [보기]에서 골라 쓰시오.

보기	avenue	diet	fit	bone	examine

16 a special selection of food for physical problems ____________
17 to look at someone or something in detail ____________
18 a wide road in a town or city, often with trees along it ____________
19 to be the right shape or size for someone or something ____________
20 the hard pieces that form the structure inside a person or animal ____________

Day 26

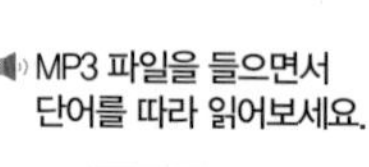

---

391 □□ **beat**
[biːt]

beat – beat – beaten

동 치다 (= hit, strike); 이기다

Somebody beat me on the head.
누군가 내 머리를 ______.

발음주의

392 □□ **divide**
[diváid]

동 나누다 (= separate), 갈라지다

When you divide 10 by 2, you get 5.
10을 2로 ______, 5가 된다.

↔ join 동 합치다

---

393 □□ **sunny**
[sʌ́ni]

sunny day
맑은 날

형 맑게 갠; 양지바른

On Saturday, it will be sunny.
토요일에는 날씨가 ______ 것입니다.

+ sun 명 해, 태양

394 **flat**

[flæt]

flat tire
바람 빠진 타이어

형 평평한 (= even), 납작한

I changed the flat tire.

나는 ________ 타이어를 갈았다.

+ flatten 동 평평하게 하다

395 **sudden**

[sʌ́dn]

형 갑작스러운

There was a sudden change in the weather.

날씨에 ________ 변화가 있었다.

+ suddenly 부 갑자기

396 **discover**

[diskʌ́vər]

dis[opposite]+cover
→ 발견하다

동 발견하다 (= find), 알아채다 (= realize)

Archimedes discovered the principle by accident.

아르키메데스는 그 원리를 우연히 ________.

+ discovery 명 발견

Day 27

397 **respect**

[rispékt]

re[again]+spect[see]
다시 보다 → 존경하다

명 존경, 존중
동 존경하다 (= honor)

Have some respect for your parents.

부모님에 대한 ________ 을 가져라.

+ respectable 형 존경할 만한

398 **tool**

[tu:l]

toolbox
공구함

명 연장, 도구 (= instrument)

The carpenter gathered his tools.

그 목수는 자기 ________ 을 모았다.

강세주의

399 **envelope**

[énvəlòup]

명 봉투

You should write your address on the envelope.

너는 ________ 에 네 주소를 써야 한다.

400 □□ **copy**
[kάpi]

copy machine
복사기

명 복사본, 복사
동 복사하다

This is a **copy** of a famous picture.
이것은 유명한 그림의 ______ 이다.

401 □□ **medium**
[míːdiəm]

형 중간의, 보통의 (= middle)

I want this shirt in **medium** size.
이 셔츠를 ______ 치수로 사고 싶어요.

402 □□ **shelf**
[ʃelf]

명 선반

I put a box on the **shelf**.
나는 상자를 ______ 위에 두었다.

403 □□ **look forward to**

…을 고대하다 (= expect)

I'm **looking forward to** seeing you again.
나는 너를 다시 만나기를 ______.

404 □□ **focus on**

…에 집중하다 (= concentrate on)

Focus on your studies.
너의 공부에 ______.

405 □□ **make sure**

확인하다, 확신하다 (= make certain)

Make sure you fasten your seat belt.
좌석 벨트를 매었는지 ______.

Get More beat의 다양한 뜻

1 동 치다
I **beat** the drum.
나는 드럼을 친다.

2 동 이기다
Our team **beat** your team.
우리 팀이 너희 팀을 이겼다.

DAY 27 Wrap-up Test

ANSWERS p. 281

A 영어는 우리말로, 우리말은 영어로 쓰시오.

1 shelf ____________
2 make sure ____________
3 flat ____________
4 tool ____________
5 look forward to ____________
6 갑작스러운 ____________
7 복사, 복사본, 복사하다 ____________
8 중간의, 보통의 ____________
9 …에 집중하다 ____________
10 이기다, 치다 ____________

B 빈칸에 알맞은 단어를 [보기]에서 골라 쓰시오. (필요시 형태를 고칠 것)

보기	sunny	respect	divide	envelope	discover

11 I ____________ that he was a liar.
나는 그가 거짓말쟁이라는 것을 알아냈다.

12 I need a(n) ____________ to put the letter in.
나는 편지를 넣을 편지 봉투가 필요하다.

13 I would like to have a(n) ____________ room.
저는 햇볕이 잘 드는 방으로 선택하겠어요.

14 The Han River ____________ Seoul into north and south.
한강은 서울을 남과 북으로 나눈다.

15 Showing ____________ to older people is one of the nice customs.
연장자에게 경의를 표하는 것은 좋은 관습 중의 하나이다.

C 설명과 일치하는 단어를 골라 ✔표시를 하시오.

16 to win against ☐ beat ☐ lose
17 middle or intermediate in size ☐ medium ☐ large
18 to find or see before anyone else ☐ divide ☐ discover
19 something that looks exactly like another ☐ flat ☐ copy
20 an instrument, such as a hammer or drill used for working ☐ shelf ☐ tool

DAY 28

MP3 파일을 들으면서
단어를 따라 읽어보세요.

406 □□ **comfortable** [kʌ́mfərtəbl]

형 편안한 (= relaxing, restful)

This sofa is soft and **comfortable**.

이 소파는 푹신하고 ______ 하다.

+ comfortably 부 편안하게

↔ uncomfortable 형 불편한

407 □□ **mention** [ménʃən]

동 언급하다 (= state)

명 언급, 진술

I **mentioned** the problem of the rule.

나는 그 규칙의 문제점에 대하여 ______.

408 □□ **seem** [siːm]

동 …처럼 보이다, …인 것 같다 (= appear)

She **seems** to be in a daydream.

그녀는 공상에 빠져 있는 ______.

철자주의

409 □□ **challenge** [tʃǽlindʒ]

명 도전 (= trial)
동 도전하다

Life in the 21st century is full of new **challenges** and opportunities.
21세기의 삶은 새로운 ______ 과 기회로 가득 차 있다.

✚ challenger 명 도전자

410 □□ **bakery** [béikəri]

명 제과점

They sell delicious bread in this **bakery**.
이 ______ 에서 그들은 맛있는 빵을 판다.

✚ bake 동 (빵을) 굽다

411 □□ **impossible** [impásəbl]

형 불가능한

It is **impossible** to build Rome in a day.
하루만에 로마를 건설하는 일은 ______.

↔ possible 형 가능한

철자주의

412 □□ **palace** [pǽlis]

palace guard
근위병

명 궁전

He arrived at the **palace** and met the king.
그는 ______ 에 도착해서 왕을 만났다.

발음주의

413 □□ **several** [sévərəl]

형 몇몇의 (= some); 여러 가지의 (= various)

I invited **several** friends.
나는 ______ 친구들을 초대했다.

414 □□ **captain** [kǽptin]

명 장, 우두머리 (= chief, leader)

My daughter is the **captain** of the team.
내 딸이 그 팀의 ______ 이다.

415 □□ **host**
[houst]

명 주인 (= master)

We thanked our **hosts** for the lovely party.
우리는 멋진 파티에 대해 ______ 에게 감사했다.

+ hostess 명 여자 주인
↔ guest 명 손님

416 □□ **net**
[net]

fishing net
어망

명 그물; 통신망

A man is fixing the **net**.
한 남자가 ______ 을 고치고 있다.

417 □□ **factory**
[fǽktəri]

명 공장, 제조소

He works at a car **factory**.
그는 자동차 ______ 에서 일한다.

418 □□ **in danger**

위험에 처한

Tigers are **in danger** of not having enough food.
호랑이들은 먹이 부족의 ______ 상태이다.

419 □□ **laugh at**

…을 비웃다

She **laughed at** my opinion.
그녀는 내 의견을 ______.

420 □□ **get ready for**

(…을 위해) 준비하다 (= be prepared for)

You have to **get ready for** the contest.
너는 경연대회에 참가할 ______ 해야 한다.

Get More net의 다양한 뜻

1 명 그물, 망
a mosquito **net** 모기장

2 형 에누리 없는
a **net** price 정가

DAY 28 Wrap-up Test

ANSWERS p. 282

A 영어는 우리말로, 우리말은 영어로 쓰시오.

1 comfortable ____________
2 host ____________
3 challenge ____________
4 palace ____________
5 bakery ____________
6 언급하다, 언급, 진술 ____________
7 공장, 제조소 ____________
8 위험에 처한 ____________
9 …을 비웃다 ____________
10 (…을 위해) 준비하다 ____________

B 빈칸에 알맞은 단어를 [보기]에서 골라 쓰시오. (필요시 형태를 고칠 것)

보기	impossible	captain	seem	several	net

11 It is ____________ to live without the air.
공기 없이 사는 것은 불가능하다.

12 One word can have ____________ meanings.
한 단어가 여러 개의 의미를 가질 수 있다.

13 Hunters throw a(n) ____________ to catch animals.
사냥꾼들은 동물을 잡기 위해 그물을 던진다.

14 The ____________ of our team will decide everything.
우리 팀 팀장이 모든 것을 결정할 것이다.

15 Even though they are poor, they ____________ happy together.
비록 그들은 가난할지라도 함께 행복해 보인다.

C 설명하는 단어를 [보기]에서 골라 쓰시오.

보기	mention	challenge	comfortable	palace	host

16 to say something about ____________
17 feelings of relaxed and restful ____________
18 to try something new and difficult ____________
19 a very large house of a king or queen ____________
20 a person who invites the guests to his home ____________

MP3 파일을 들으면서 단어를 따라 읽어보세요.

---

421 **suit** [suːt]

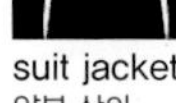

suit jacket
양복 상의

명 정장 한 벌
동 적합하다 (= match)

I bought a new **suit** for the graduation ceremony.
나는 졸업식을 위해 새 ______ 을 샀다.

+ suitable 형 적당한

---

422 **backpack** [bǽkpæ̀k]

명 배낭
동 배낭여행을 하다

Carry lent me her **backpack**.
Carry가 나에게 그녀의 ______ 을 빌려주었다.

+ backpacker 명 배낭여행자

---

423 **crack** [kræk]

명 갈라진 틈
동 금이 가다, 깨다 (= break)

There is a **crack** in the plate.
접시에 ______ 이 있다.

424 **globe**
[gloub]

globefish
복어

명 공 (= ball); 지구 (= earth, world)

He has traveled all around the **globe**.
그는 ______ 곳곳을 여행했다.

+ global 형 세계적인

---

425 **task**
[tæsk]

명 직무, 일 (= job)

Did you complete your **task**?
네 ______ 을 다 끝마쳤니?

---

426 **thunder**
[θʌ́ndər]

명 천둥
동 천둥치다

Thunder comes with lightning.
______ 은 번개와 더불어 일어난다.

Day 29

---

427 **burn**
[bəːrn]

burn – burnt[burned] – burnt[burned]

동 타다, 태우다

You **burnt** the steaks, didn't you?
네가 스테이크를 ______, 그렇지?

+ burner 명 버너, 연소기

---

428 **storm**
[stɔːrm]

명 폭풍 (= typhoon, hurricane)
동 폭풍이 일다

A **storm** hit the country and killed a lot of people.
______ 이 그 나라를 강타해서 많은 사람들이 죽었다.

+ stormy 형 폭풍의

강세주의

429 **record**
동 [rikɔ́ːrd]
명 [rékərd]

동 기록하다, 녹음하다
명 기록

Edison had already **recorded** sound.
에디슨은 이미 소리를 ______.

+ recording 명 녹음

430 □□ **system** [sístəm]

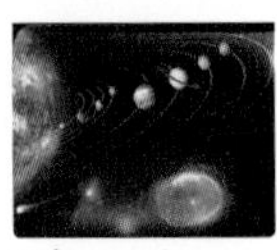
solar system
태양계

명 체계, 조직 (= structure)

Hangeul is the most scientific writing **system** in the world.
한글은 세계에서 가장 과학적인 문자 ______ 이다.

431 □□ **college** [kálidʒ]

명 대학 (= university)

She majored in music in **college**.
그녀는 ______ 에서 음악을 전공했다.

432 □□ **stupid** [stjúːpid]

형 어리석은 (= foolish, silly)

I made a **stupid** mistake.
나는 ______ 실수를 저질렀다.

↔ smart 형 똑똑한

433 □□ **make a decision**

결정하다 (= decide)

You should **make a decision** by Friday.
너는 금요일까지 ______ 한다.

434 □□ **look after**

…을 돌보다 (= take care of)

I **look after** my little sister while my mom prepares dinner.
엄마가 저녁을 준비하시는 동안에 내가 여동생을 ______.

435 □□ **go to bed**

잠자리에 들다, 자다 (= sleep)

As a rule, we **go to bed** at ten o'clock.
규율에 따라 우리는 10시에 ______.

↔ get up 일어나다

Get More suit의 다양한 뜻

1 명 정장 한 벌
I made him a new **suit**.
나는 그에게 새 양복 한 벌을 지어 주었다.

2 동 적합하다, 어울리다
It **suits** you very fine.
그것은 네게 아주 잘 어울린다.

DAY 29 Wrap-up Test

ANSWERS p. 282

A 영어는 우리말로, 우리말은 영어로 쓰시오.

1 thunder ____________
2 task ____________
3 stupid ____________
4 storm ____________
5 go to bed ____________
6 갈라진 틈, 금이 가다 ____________
7 …을 돌보다 ____________
8 결정하다 ____________
9 배낭, 배낭여행을 하다 ____________
10 지구, 공 ____________

B 빈칸에 알맞은 단어를 [보기]에서 골라 쓰시오. (필요시 형태를 고칠 것)

보기	system	burn	college	record	suit

11 This ____________ is very complex.
이 시스템은 아주 복잡하다.

12 The dress ____________ you perfectly.
그 드레스가 너에게 딱 어울린다.

13 The broadcast was ____________, not live.
그 방송은 생방송이 아니라 녹화된 것이었다.

14 The forest fire ____________ a lot of trees.
산불이 많은 나무를 태워버렸다.

15 After graduating from high school, I went to ____________.
고등학교를 졸업하고, 나는 대학에 진학했다.

C 설명에 맞는 단어를 찾아 선으로 연결하시오.

16 an object shaped like a ball •
17 a loud noise after a flash of lightning •
18 to break or to make something break •
19 a bag with straps that go over your shoulders •
20 a period of bad weather with heavy rain and strong wind •

• ⓐ backpack
• ⓑ thunder
• ⓒ globe
• ⓓ crack
• ⓔ storm

MP3 파일을 들으면서 단어를 따라 읽어보세요.

---

436 □□ **tap**

[tæp]

tap dance
탭댄스

동 가볍게 두드리다
명 두드림

She's **tapping** her head with her index finger.

그녀는 검지 손가락으로 그녀의 머리를 ______.

---

437 □□ **extra**

[ékstrə]

형 여분의

Why don't you get an **extra** battery?

______ 배터리를 구입하지 그래?

---

438 □□ **manage**

[mǽnidʒ]

동 경영[관리]하다 (= run), 잘 해 나가다 (= handle)

He has **managed** a hotel for 10 years.

그는 10년 간 호텔을 ______.

+ manager 명 관리인

439 □□ **sense** [sens]

명 감각 (= feeling)
동 느끼다

A gymnast has a great **sense** of rhythm.
체조 선수는 뛰어난 리듬 ______ 을 갖고 있다.

+ sensitive 형 예민한

철자주의

440 □□ **journey** [dʒə́ːrni]

명 여행 (= trip, travel)

The polar explorers began their **journey**.
극지 탐험가들은 그들의 ______ 을 시작했다.

441 □□ **rude** [ruːd]

형 무례한 (= impolite)

I can't stand her **rude** behavior.
나는 그녀의 ______ 행동을 참을 수 없다.

+ rudely 부 무례하게
↔ polite 형 예의바른

442 □□ **trust** [trʌst]

동 신뢰하다
명 신용 (= credit), 신뢰 (= belief)

You should **trust** him.
너는 그를 ______ 한다.

+ trustful 형 믿음직하게 여기는
↔ doubt 동 의심하다

443 □□ **upon** [əpɑ́n]

전 … 위에 (= on), …에

Colors have an influence **upon** emotions.
색깔은 감정______ 영향을 끼친다.

444 □□ **noon** [nuːn]

명 정오, 한낮 (= midday)

He tried to finish his work by **noon**.
그는 ______ 까지 일을 끝내려고 노력했다.

Day 30

445 **power** [páuər]

명 힘 (= strength), 능력 (= ability)

He is greedy for money and **power**.
그는 돈과 ______ 에 탐욕적이다.

+ powerful 형 강력한

철자주의

446 **beauty** [bjúːti]

명 아름다움, 미인

People can see nature's **beauty**.
사람들은 자연의 ______ 을 알 수 있다.

+ beautiful 형 아름다운

447 **tight** [tait]

형 단단한, 꼭 끼는

I felt uncomfortable because of my **tight** sweater.
나는 ______ 스웨터를 입어 불편했다.

+ tightly 부 단단히
↔ loose 형 느슨한

448 **look up**

…을 찾다 (= search); …을 올려다 보다

Look up this word in the dictionary.
이 단어를 사전에서 ______.

449 **go away**

가버리다, 도망치다 (= run away)

He **went away** without a word.
그는 아무 말도 하지 않고 ______.

450 **for a moment**

잠시 동안 (= for a while)

He closed his eyes **for a moment**.
그는 ______ 눈을 감았다.

↔ for a long time 오랫동안

Get More '초과'의 뜻을 나타내는 extra-

1 **curricular** 형 교과과정의
→ **extracurricular** 형 과외의
take part in **extracurricular** activities
과외활동에 참여하다

2 **time** 명 시간
→ **extra time** 명 연장 시간
go into **extra time**
연장전에 돌입하다

DAY 30 Wrap-up Test

ANSWERS p. 282

A 영어는 우리말로, 우리말은 영어로 쓰시오.

1 sense ____________
2 power ____________
3 journey ____________
4 for a moment ____________
5 upon ____________
6 정오, 한낮 ____________
7 무례한 ____________
8 …을 찾다, …을 올려다 보다 ____________
9 가버리다, 도망치다 ____________
10 아름다움, 미인 ____________

B 빈칸에 알맞은 단어를 [보기]에서 골라 쓰시오. (필요시 형태를 고칠 것)

보기	tap	trust	manage	tight	extra

11 He ____________ me on the shoulder.
그는 내 어깨를 가볍게 툭 쳤다.

12 He was uneasy in ____________ clothes.
그는 꽉 끼는 옷을 입어 불편했다.

13 I am not a liar. You can ____________ me.
난 거짓말쟁이가 아니야. 넌 날 믿어도 돼.

14 My brother ____________ the company very well.
내 남동생이 그 회사를 잘 경영했다.

15 I used up my batteries. Do you have any ____________ batteries?
내 배터리를 다 썼어. 너는 여분의 배터리가 있니?

C 괄호 안의 지시에 맞는 단어를 골라 ✔표시를 하시오.

16 trust (반의어) ☐ doubt ☐ extra
17 tight (반의어) ☐ lose ☐ loose
18 rude (반의어) ☐ polite ☐ impolite
19 sense (유의어) ☐ feeling ☐ sensitive
20 journey (유의어) ☐ tap ☐ trip

DAY 26~30 Review Test

ANSWERS p. 282

다음 우리말에 맞게 빈칸에 주어진 철자로 시작하는 단어를 쓰시오.

DAY 26

1	뼛속까지	to the **b**________
2	여론 조사	a public **o**________ poll
3	균형잡힌 식사	a balanced **d**________
4	짙은 안개	a **t**________ fog
5	봉사료	a **s**________ charge
6	면밀히 검토하다	**e**________ closely

DAY 27

7	복사하다	make a **c**________
8	북을 치다	**b**________ a drum
9	맑은 날	a **s**________ day
10	바람 빠진 타이어	a **f**________ tire
11	갑작스러운 죽음	a **s**________ death
12	편지 봉투	a letter **e**________

DAY 28

13	모기장	a mosquito **n**________
14	고궁	an old **p**________
15	편안한 침대	a **c**________ bed
16	어려운 도전	a tough **c**________
17	자동화 공장	an automated **f**________
18	여러 차례	**s**________ times

DAY 29

19	까맣게 타다	**b**________ black
20	교육 제도	an educational **s**________
21	기록 보유자	a **r**________ holder
22	여행용 옷가방	a **s**________ case
23	천둥과 번개	**t**________ and lightning
24	접시에 난 금	a **c**________ in the plate

DAY 30

25	사랑의 힘	the **p**________ of love
26	특별 급여	an **e**________ pay
27	상식	common **s**________
28	무례한 농담	a **r**________ joke
29	꼭 끼는 바지	**t**________ pants
30	미용 상품	**b**________ products

필수 어휘로

내신 다지기

Day 31~50

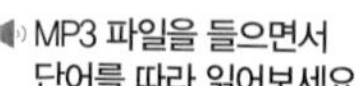

---

451 □□ **float** [flout]

동 (액체나 공기에) 뜨다

The balloon **floated** up into the air.
기구는 공중으로 ______.

➕ floating 형 떠 있는
↔ sink 동 가라앉다

---

452 □□ **positive** [pázətiv]

형 긍정적인 (= hopeful), 자신 있는 (= confident)

She has a very **positive** attitude.
그녀는 아주 ______ 태도를 지니고 있다.

➕ positively 부 긍정적으로
↔ negative 형 부정적인

---

453 □□ **exchange** [ikstʃéindʒ]

동 교환하다 (= interchange); 환전하다
명 교환

I would like to **exchange** this sweater.
이 스웨터를 ______ 싶어요.

454 □□ **gather** [gǽðər]

동 모으다 (= collect), 수확하다

A rolling stone **gathers** no moss.

구르는 돌은 이끼를 ______ 않는다.
(속담: 구르는 돌에는 이끼가 끼지 않는다.)

↔ spread 동 펼치다

발음주의

455 □□ **silent** [sáilənt]

형 고요한 (= quiet, still)

silent night, holy night

______ 밤, 거룩한 밤

✚ silence 명 고요함
silently 부 고요하게
↔ noisy 형 시끄러운

456 □□ **gallery** [gǽləri]

명 화랑, 미술관

The Art **Gallery** is open daily from 10 a.m. to 9 p.m.

______은 매일 오전 10시에서 오후 9시까지 엽니다.

457 □□ **similar** [símələr]

형 유사한, 비슷한

He found Korean culture **similar** to Chinese culture.

그는 한국 문화와 중국 문화가 ______ 것을 알았다.

✚ similarity 명 유사점
↔ different 형 다른

458 □□ **rise** [raiz]

rise – rose – risen

동 오르다, 뜨다

The sun **rises** in the east.

해는 동쪽에서 ______.

↔ fall 동 떨어지다

459 □□ **smoke** [smouk]

smoke pollution
매연 공해

명 연기
동 흡연하다

There is no **smoke** without fire.

불 없이 ______는 없다.
(속담: 아니 땐 굴뚝에 연기 나랴.)

✚ smoking 명 흡연
smoker 명 흡연자

Day 31

460 ☐☐ **lead** [liːd]

lead – led – led

동 지도하다 (= direct); 안내하다 (= guide)

He **led** the independence movement.
그는 독립 운동을 ________.

➕ leader 명 지도자
↔ follow 동 따르다

461 ☐☐ **topic** [tάpik]

명 화제 (= issue), 주제 (= subject)

Let's read and find out the **topic** and situation.
글을 읽고 ________ 와 상황을 알아봅시다.

462 ☐☐ **university** [jùːnəvə́ːrsəti]

명 (종합)대학교 (= college)

He finally graduated from **university**.
그는 마침내 ________ 를 졸업했다.

463 ☐☐ **lose weight**

체중이 줄다

My doctor told me I have to **lose weight**.
의사가 내게 ________ 한다고 말했다.

↔ gain weight 체중이 늘다

464 ☐☐ **make a noise**

소음을 내다, 떠들다

Don't **make a noise** when you eat.
음식을 먹을 때 ________ 마라.

↔ be quiet 조용히 하다

465 ☐☐ **give up**

포기하다 (= quit)

You never **give up**.
절대 ________ 마라.

'행위자'를 나타내는 -er

1 **lead** 동 지도하다, 이끌다
→ **leader** 명 지도자
Our **leader** leads us.
우리의 지도자가 우리를 이끈다.

2 **smoke** 동 흡연하다
→ **smoker** 명 흡연자
The **smoker** is smoking.
흡연자가 담배를 피우고 있다.

DAY 31 Wrap-up Test

ANSWERS p. 283

A 영어는 우리말로, 우리말은 영어로 쓰시오.

1 exchange ____________
2 gather ____________
3 gallery ____________
4 float ____________
5 make a noise ____________
6 체중이 줄다 ____________
7 오르다, 뜨다 ____________
8 포기하다 ____________
9 (종합)대학교 ____________
10 지도하다, 안내하다 ____________

B 빈칸에 알맞은 단어를 [보기]에서 골라 쓰시오. (필요시 형태를 고칠 것)

보기	smoke	topic	similar	silent	positive

11 They are ____________ in character.
그들은 성격이 비슷하다.

12 Don't ____________ in public places.
공공장소에서는 담배를 피우지 마세요.

13 We sang carols like '____________ Night.'
우리는 '고요한 밤' 같은 캐롤들을 불렀다.

14 The ____________ of discussion was difficult for me.
그 토론의 주제가 나에게는 어려웠다.

15 Try to seek the ____________ rather than the negative.
부정적인 것보다 긍정적인 것을 찾으려고 노력해라.

C 괄호 안의 지시에 맞는 단어를 골라 ✓표시를 하시오.

16 lead (반의어) □ guide □ follow
17 float (반의어) □ sink □ rise
18 silent (명사형) □ silently □ silence
19 gather (유의어) □ collect □ collection
20 similar (반의어) □ different □ difference

MP3 파일을 들으면서
단어를 따라 읽어보세요.

---

466 □□ **pollution**
[pəlúːʃən]

air pollution
대기 오염

명 오염, 공해

The leaves on trees reduce **pollution**.
나뭇잎은 ______ 을 줄인다.

✚ pollute 동 오염시키다

---

467 □□ **stream**
[striːm]

명 개울 (= river); 흐름 (= flow)

He drank the water from a **stream**.
그는 ______ 에서 흘러나오는 물을 마셨다.

철자주의

468 □□ **necessary**
[nésəsèri]

necessary goods
필요한 물건

형 필요한 (= essential)

Food is **necessary** for being healthy.
음식은 건강을 유지하는 데 ______ 하다.

✚ necessarily 부 반드시
necessity 명 필요
↔ unnecessary 형 불필요한

469 **praise**
[preiz]

명 칭찬
동 칭찬하다

The boy's behavior was worthy of **praise**.
그 소년의 행동은 ______ 받을 만했다.

↔ scold 동 꾸짖다

470 **education**
[èdʒukéiʃən]

명 교육 (= teaching)

There is no **education** like adversity.
역경만한 ______ 은 없다.

\+ educate 동 교육하다
educational 형 교육적인

471 **forgive**
[fərgív]

forgive – forgave – forgiven

동 용서하다 (= excuse, pardon)

It is not easy to **forgive** an enemy.
적을 ______ 하는 것은 쉽지 않다.

↔ blame 동 나무라다

Day 32

철자주의

472 **neither**
[ní:ðər]

형 어느 …도 아닌
부 …도 아니다

Neither snow nor rain fell.
눈도 비도 오지 ______ .

473 **suggest**
[səgdʒést]

동 제안하다 (= propose)

He **suggested** meeting at his house.
그는 자기 집에서 만나자고 ______ 했다.

\+ suggestion 명 제안

474 **unit**
[jú:nit]

명 단위; (책의) 단원

The family is the basic **unit** of society.
가정은 사회의 기본 ______ 이다.

475 **situation**
[sìtʃuéiʃən]

명 상황

Let's read and find out the topic and **situation**.
글을 읽고 주제와 ______ 을 알아봅시다.

476 **boil**
[bɔil]

동 끓다, 끓이다

I **boiled** some water for a cup of tea.
나는 차 한 잔을 마시기 위해 약간의 물을 ______.

+ boiler 명 보일러

477 **nest**
[nest]

bird's nest
새 둥지

명 둥지

The birds are leaving their **nests**.
새들이 ______ 를 떠나고 있다.

478 **throw away**

버리다

My mother **throws away** the trash on Mondays.
어머니는 월요일마다 쓰레기를 ______.

479 **one by one**

하나씩, 차례로 (= by turns)

Let's finish **one by one**.
______ 끝내도록 합시다.

480 **play with**

…을 가지고 놀다

Don't **play with** rusty toys.
녹슨 장난감을 ______ 마라.

Get More 혼동되는 상관 접속사

1 **neither A nor B**
A도 B도 아닌
I know **neither** French **nor** German.
나는 프랑스어도 모르고 독일어도 모른다.

2 **either A or B**
A나 B 둘 중에 하나
She is **either** in Paris **or** in Berlin.
그녀는 파리나 베를린 중 한 곳에 있다.

DAY 32 Wrap-up Test

ANSWERS p. 283

A 영어는 우리말로, 우리말은 영어로 쓰시오.

1	necessary	________	6	버리다	________
2	situation	________	7	단위, (책의) 단원	________
3	stream	________	8	둥지	________
4	education	________	9	…을 가지고 놀다	________
5	forgive	________	10	하나씩, 차례로	________

B 빈칸에 알맞은 단어를 [보기]에서 골라 쓰시오. (필요시 형태를 고칠 것)

보기	pollution	suggest	neither	boil	praise

11 I could say ________ "Yes" nor "No."
나는 "Yes"도 "No"도 말할 수 없었다.

12 ________ can make even a whale dance.
칭찬은 고래도 춤추게 한다.

13 Whatever I ________, he always disagrees.
내가 무슨 제안을 해도 그는 언제나 반대한다.

14 Many animals are dying because of ________.
오염 때문에 많은 동물들이 죽어가고 있다.

15 ________ the water, and you can drink hot tea.
물을 끓여라, 그러면 뜨거운 차를 마실 수 있다.

C 설명하는 단어를 [보기]에서 골라 쓰시오.

보기	stream	education	unit	nest	necessary

16 a small, narrow river ________

17 needed in order to do something ________

18 a bird's home to lay its eggs in ________

19 the process of teaching or learning in schools ________

20 a single item or a separate part of something larger ________

DAY 33

MP3 파일을 들으면서 단어를 따라 읽어보세요.

---

481 □□ **content**

명 [kάntent]
형 [kəntént]

명 내용물
형 만족하여 (= satisfied)

the **contents** of a box
상자 속의 ______

발음주의

482 □□ **pour**

[pɔːr]

pouring rain
폭우

동 따르다, 붓다

Please **pour** me a glass of water.
물 한 잔 ______ 주세요.

+ pouring 형 들이붓는

---

483 □□ **result**

[rizʌ́lt]

명 결과 (= outcome)
동 결과로 나타나다

Kate's exam **results** were excellent.
Kate의 시험 ______는 아주 훌륭했다.

↔ cause 명 원인

484 □□ **mayor**
[méiər]

명 시장

We respect the new **mayor**.
우리는 새로운 ______ 을 존경한다.

485 □□ **grateful**
[gréitfəl]

형 감사히 여기는 (= thankful)

After the flood, we felt **grateful** to be alive.
홍수가 지난 후에 우리는 살아 있다는 것에 ______.

+ gratefully 부 감사하여

486 □□ **horror**
[hɔ́:rər]

형 공포의
명 공포 (= fear)

I like **horror** movies.
나는 ______ 영화를 좋아한다.

+ horrible 형 무서운

487 □□ **birth**
[bə:rθ]

명 탄생, 출산

The puppy's **birth** gave me joy.
새끼 강아지의 ______ 이 내게 기쁨을 주었다.

↔ death 명 죽음

488 □□ **enemy**
[énəmi]

natural enemy
천적

명 적

My laziness is my worst **enemy**.
나의 게으름이 나의 가장 큰 ______ 이다.

↔ friend 명 친구

강세주의

489 □□ **activity**
[æktívəti]

명 활동

I like outdoor **activities** with other people.
나는 다른 사람들과 함께 하는 야외 ______ 을 좋아한다.

+ active 형 활동적인

Day 33

490 **peace** [piːs]

명 평화

Nuclear weapons threaten world **peace**.

핵무기는 세계의 ______ 를 위협한다.

+ peaceful 형 평화로운
  peacefully 부 평화롭게

491 **bar** [bɑːr]

bar of chocolate
초코바

명 막대기 (= stick)

Chimpanzees are clever enough to use a **bar**.

침팬지들은 ______ 를 쓸 만큼 똑똑하다.

492 **war** [wɔːr]

명 전쟁 (= battle)

Many people were killed in the **war**.

많은 사람들이 ______ 중에 죽었다.

↔ peace 명 평화

493 **spend … on ~**

~하는 데 …를 쓰다

He **spent** ten dollars **on** buying his cap.

그는 모자를 사느라 10달러를 ______.

494 **wish … good luck**

…에게 행운을 빌다

I **wish** you **good luck**!

너에게 ______!

495 **take a look at**

…을 보다

Take a look at this picture.

이 사진을 ______.

Get More content의 다양한 뜻

1 명 내용물
Could you explain its **contents**?
그것의 내용물을 설명해 주시겠어요?

2 형 만족하여
I am **content** with what I have.
나는 내가 가진 것에 만족한다.

DAY 33 Wrap-up Test

ANSWERS p. 283

A 영어는 우리말로, 우리말은 영어로 쓰시오.

1 result ____________
2 horror ____________
3 grateful ____________
4 enemy ____________
5 spend … on ~ ____________
6 …을 보다 ____________
7 평화 ____________
8 전쟁 ____________
9 내용물, 만족하여 ____________
10 …에게 행운을 빌다 ____________

B 빈칸에 알맞은 단어를 [보기]에서 골라 쓰시오. (필요시 형태를 고칠 것)

보기	spend	mayor	pour	birth	activity

11 The ____________ reviewed the report.
시장은 보고서를 검토했다.

12 What club ____________ would you like to do?
어떤 클럽 활동을 하고 싶으세요?

13 Please ____________ milk into the glass carefully.
컵에 우유를 조심스럽게 좀 따라 줘.

14 The ____________ rate increased rapidly after the war.
전쟁 후에 출생률이 급속히 증가했다.

15 They ____________ too much time on computer games.
그들은 너무 많은 시간을 컴퓨터 게임하는 데 쓴다.

C 의미가 통하도록 빈칸에 알맞은 단어를 [보기]에서 골라 쓰시오.

보기	result	grateful	horror	peace	enemy

16 A(n) ____________ is something that exists at the end.
17 If there is ____________ in a country, there is no war.
18 Your ____________ hates you and wants to do harm you.
19 ____________ is a feeling of great shock, fear and worry.
20 I'm so ____________ for all your help.

MP3 파일을 들으면서 단어를 따라 읽어보세요.

---

496 □□ **expensive** [ikspénsiv]

형 값비싼

The gold ring is very **expensive**.

그 금반지는 매우 ______.

↔ cheap 형 값싼

---

497 □□ **context** [kántekst]

명 문맥, 상황 (= situation)

You can guess the meaning from the **context**.

______으로 의미를 추측할 수 있다.

발음주의

498 □□ **rough** [rʌf]

rough hands
거친 손

형 울퉁불퉁한, 험난한

The road was **rough**, so I felt dizzy.

길이 ______ 해서 나는 어지러웠다.

+ roughly 부 대략, 대강

↔ smooth 형 매끄러운

499 □□ **cloudy**
[kláudi]

형 흐린, 구름 낀

It will be mostly **cloudy** on Sunday.
일요일엔 대체로 날씨가 ______ 것이다.

+ cloud 명 구름
↔ sunny 형 화창한

500 □□ **tune**
[tju:n]

동 조정하다 (= adjust)
명 곡조 (= melody)

She **tuned** down the audio.
그녀는 오디오의 음량을 ______.

501 □□ **bill**
[bɪl]

명 계산서 (= check); 지폐

He picked up the **bill** instead of me.
그가 나 대신에 ______를 집어 들었다.

강세주의

502 □□ **degree**
[digríː]

명 정도, 등급 (= grade)

This job needs a high **degree** of skill.
이 직업은 높은 ______의 기술을 요한다.

503 □□ **western**
[wéstərn]

형 서쪽의, 서양의

The painter was impressed by **Western** art.
그 화가는 ______ 예술에 영향을 받았다.

+ west 명 서쪽
↔ eastern 형 동쪽의

504 □□ **alive**
[əláiv]

형 살아 있는 (= living)

The hunters catch animals **alive**.
그 사냥꾼들은 동물을 ______ 채로 잡는다.

↔ dead 형 죽은

Day 34

505 □□ **fail** [feil]

통 실패하다, 낙제하다

I **failed** to find the answer.

나는 해답을 찾는 데 ________.

➕ failure 명 실패

↔ succeed 동 성공하다

---

506 □□ **tiny** [táini]

형 작은 (= little)

Tiny plants float on the pond.

________ 식물들이 연못에 떠 있다.

↔ huge 형 거대한

---

507 □□ **wild** [waild]

형 야생의, 거친

The cowboy is training the **wild** horse.

카우보이가 ________ 말을 훈련시키고 있다.

➕ wildly 부 난폭하게

wild horses
야생마

---

508 □□ **after all**

결국 (= in the end)

After all, we made it.

________ 우리는 해냈다.

---

509 □□ **these days**

요즈음 (= nowadays)

How have you been **these days**?

________ 어떻게 지냈니?

↔ those days 예전에

---

510 □□ **up and down**

위아래로

He nods his head **up and down**.

그는 머리를 ________ 끄덕인다.

Get More '날씨'를 나타내는 형용사

sunny 형 화창한	cloudy 형 구름 낀
windy 형 바람이 부는	snowy 형 눈 내리는
rainy 형 비오는	foggy 형 안개 낀

Wrap-up Test

ANSWERS p. 283

A 영어는 우리말로, 우리말은 영어로 쓰시오.

1	after all	________	6	정도, 등급	________
2	tune	________	7	서쪽의, 서양의	________
3	expensive	________	8	계산서, 지폐	________
4	rough	________	9	문맥, 상황	________
5	up and down	________	10	요즈음	________

B 빈칸에 알맞은 단어를 [보기]에서 골라 쓰시오. (필요시 형태를 고칠 것)

보기	tiny	cloudy	fail	alive	wild

11 He is still ________.
그는 아직도 살아 있다.

12 Don't be afraid to ________.
실패하는 것을 두려워하지 마라.

13 Birds feed on ________ insects.
새들은 작은 곤충들을 먹고 산다.

14 Have you ever seen a(n) ________ animal?
너는 야생 동물을 본 적이 있니?

15 We can see the ________ sky, but no rain.
하늘에 구름이 끼겠지만, 비는 오지 않을 것이다.

C 괄호 안의 지시에 맞는 단어를 골라 ✔표시를 하시오.

16	fail (명사형)	☐ failure	☐ failness
17	tiny (유의어)	☐ huge	☐ little
18	dead (반의어)	☐ alive	☐ wild
19	rough (반의어)	☐ tough	☐ smooth
20	cheap (반의어)	☐ expensive	☐ inexpensive

MP3 파일을 들으면서
단어를 따라 읽어보세요.

511 □□ **vote**

[vout]

secret vote
무기명 투표

명 투표
동 투표하다

The matter came to the vote.
그 문제는 ______에 부쳐졌다.

+ voter 명 투표자

512 □□ **snack**

[snæk]

snack bar
스낵바(간단한 식사거리를 파는 곳)

명 간식

Potato chips are my favorite snack.
감자칩은 내가 제일 좋아하는 ______이다.

513 □□ **pack**

[pæk]

동 짐을 싸다
명 꾸러미 (= package), 짐

There are many things to pack before you leave.
네가 떠나기 전에 ______할 많은 것들이 있다.

철자주의

514 **announce**
□□ [ənáuns]

동 알리다 (= tell)

They **announced** the news through a speaker.
그들이 스피커를 통해 뉴스를 ______.

+ announcer 명 아나운서
announcement 명 발표

515 **matter**
□□ [mǽtər]

명 문제 (= subject); 물질 (= substance)

I have nothing to do with the **matter**.
나는 그 ______ 와는 아무런 관련이 없다.

516 **aloud**
□□ [əláud]

부 큰 소리로 (= loudly)

She read the story **aloud** to me.
그녀는 나에게 그 이야기를 ______ 읽어 주었다.

517 **beg**
□□ [beg]

동 구걸하다

The beggar was **begging** for food.
그 거지는 음식을 ______ 하고 있었다.

+ beggar 명 거지

518 **bloom**
□□ [bluːm]

동 (꽃이) 피다
명 꽃 (= flower)

The balsam **blooms** in summer.
봉숭아는 여름에 ______.

+ blooming 형 활짝 꽃 핀
blossom 명 꽃, 개화

519 **capital**
□□ [kǽpətl]

명 수도; 대문자

Paris is the **capital** of France.
파리는 프랑스의 ______ 이다.

Day 35

520 □□ **seed**
[siːd]

명 씨앗

Plants develop from **seeds**.
식물은 ______ 에서 자라난다.

521 □□ **victory**
[víktəri]

명 승리 (= triumph)

I'm certain of his **victory**.
나는 그의 ______ 를 확신한다.

↔ defeat 명 패배

522 □□ **wedding**
[wédiŋ]

명 결혼식

Many people were invited to his **wedding**.
많은 사람들이 그의 ______ 에 초대되었다.

523 □□ **most of all**

무엇보다도 (= first of all)

Most of all, your decision is important.
______ 너의 결정이 중요하다.

524 □□ **throw a party**

파티를 열다 (= hold a party)

Sometimes we **throw** a pizza **party**.
우리는 가끔 피자 ______.

525 □□ **next to**

… 옆에 (= beside)

She is sitting **next to** me.
그녀는 내 ______ 앉아 있다.

Get More '우두머리'를 나타내는 cap-

1 **cap**
명 모자
a baseball **cap**
야구 모자

2 **capital**
명 수도; 대문자
the **capital** of Korea
한국의 수도

3 **captain**
명 선장, 우두머리
captain and crew
선장과 선원

DAY 35 Wrap-up Test

ANSWERS p. 284

A 영어는 우리말로, 우리말은 영어로 쓰시오.

1	matter	________	6	수도, 대문자	________
2	snack	________	7	무엇보다도	________
3	announce	________	8	짐을 싸다, 꾸러미, 짐	________
4	aloud	________	9	… 옆에	________
5	bloom	________	10	파티를 열다	________

B 빈칸에 알맞은 단어를 [보기]에서 골라 쓰시오. (필요시 형태를 고칠 것)

보기	beg	seed	wedding	victory	vote

11 Who did you ________ for?
누구에게 투표했니?

12 There is a ________ inside the fruit.
과일 안에 씨앗이 하나 있다.

13 Young children are ________ on the street.
어린 아이들이 길거리에서 구걸을 하고 있다.

14 After the ________, I received the gold medal.
승리 후에, 나는 금메달을 받았다.

15 After the ________, the couple left for their honeymoon.
결혼식 후에, 그 커플은 신혼여행을 떠났다.

C 설명과 일치하는 단어를 골라 ✔표시를 하시오.

16	the reason for pain or worry	☐ wedding	☐ matter
17	to tell people something officially	☐ announce	☐ aloud
18	the most important city of a country	☐ capital	☐ bloom
19	to put clothes and other things into a bag	☐ pack	☐ vote
20	a small amount of food that you eat between meals	☐ snack	☐ seed

DAY 31~35 Review Test

✎ ANSWERS p. 284

다음 우리말에 맞게 빈칸에 주어진 철자로 시작하는 단어를 쓰시오.

DAY 31

1	국립 미술관	the National G________
2	긍정적인 생각	a p________ thinking
3	담배 연기	cigarette s________
4	팀을 이끌다	l________ the team
5	작문 주제	the t________ of composition
6	비슷한 취향	s________ tastes

DAY 32

7	대기 오염	air p________
8	초등 교육	elementary e________
9	새집	a bird's n________
10	비상 사태	an emergency s________
11	가장 작은 단위	the smallest u________
12	계란을 삶다	b________ the egg

DAY 33

13	공포 영화	a h________ movie
14	평생의 원수	a lifelong e________
15	마음의 평화	p________ of mind
16	생년월일	the date of b________
17	감사 편지	a g________ letter
18	제2차 세계 대전	World W________ II

DAY 34

19	울퉁불퉁한 땅	r________ ground
20	소리를 조정하다	t________ the volume
21	고액 지폐	a large b________
22	서양 문화	w________ culture
23	야생 동물들	w________ animals
24	흐린 날	a c________ day

DAY 35

25	대문자	a c________ letter
26	고체 물질	solid m________
27	청첩장	a w________ invitation
28	승리를 거두다	win a v________
29	자비를 빌다	b________ for mercy
30	비밀 투표	a secret v________

기본 전치사 06 at

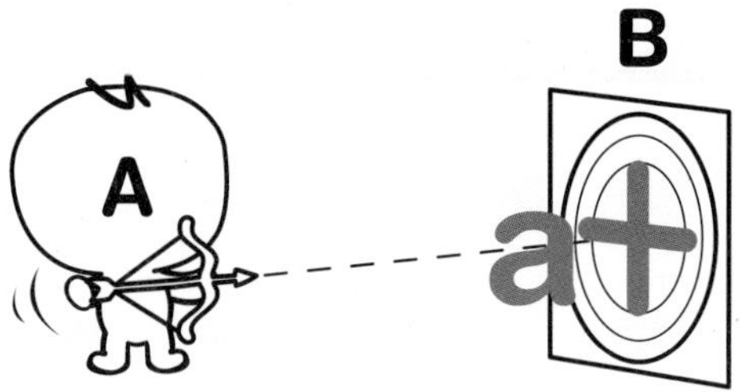

전치사 살펴보기

전치사 at은 기본적으로 '…에서, …에'라는 상대적으로 좁은 범위를 나타냅니다.

장소, 위치 (…에서)
at home 집에서
at school 학교에서
at page 30 30쪽에서
at the corner 모퉁이에서
at the bus stop 버스정류장에서

시간 (…에)
at night 밤에
at noon 정오에
at 8 o'clock 8시에
at 4:30 4시 30분에
at this moment 이 순간

문장 속에서 보는 전치사

I read books **at** night. 나는 밤에 책을 읽는다.
The movie starts **at** 4:30. 그 영화는 4시 30분에 시작한다.
We have lessons **at** school. 우리는 학교에서 수업을 듣는다.
Last night we stayed **at** home. 어젯밤 우리는 집에서 머물렀다.
I get up **at** 8 o'clock in the morning. 나는 아침 8시에 일어난다.

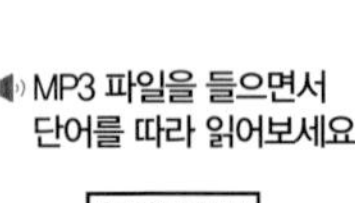

MP3 파일을 들으면서
단어를 따라 읽어보세요.

---

526 □□ **resource** [ríːsɔːrs]

명 자원

The country is rich in natural **resources**.

그 나라는 천연 ______ 이 풍부하다.

+ resourceful 형 재치 있는; 자원이 풍부한

---

527 □□ **encourage** [inkə́ːridʒ]

동 용기를 북돋우다 (= cheer)

Parents **encourage** their children to do their best.

부모는 자녀들이 최선을 다할 수 있도록 ______.

+ encouragement 명 격려, 고무

↔ discourage 동 사기를 꺾다

---

528 □□ **pet** [pet]

pet dog
애완견

명 애완동물

I want to have a dog for a **pet**.

나는 ______ 로 강아지를 갖고 싶다.

529 □□ **lawyer**
[lɔ́ːjər, lɔ́ːiər]

명 변호사, 법률가

My uncle is a **lawyer**.
우리 삼촌은 ______ 이다.

+ law 명 법, 법률

530 □□ **although**
[ɔːlðóu]

접 비록 …일지라도 (= though, even though)

Although I failed, I will try again.
비록 실패 ______, 나는 다시 도전할 것이다.

강세주의

531 □□ **conversation**
[kɑ̀nvərséiʃən]

명 대화 (= talk)

We had a **conversation** about football.
우리는 축구에 대하여 ______ 를 나누었다.

532 □□ **earn**
[əːrn]

동 벌다, 얻다 (= gain)

He **earned** a lot of money.
그는 많은 돈을 ______.

Day 36

533 □□ **origin**
[ɔ́ːrədʒin]

명 기원 (= root, source)

This book is about the **origin** of the universe.
이 책은 우주의 ______ 에 관한 책이다.

+ original 형 최초의
originally 부 원래

534 □□ **sheet**
[ʃiːt]

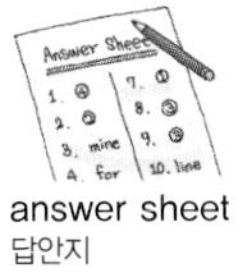

answer sheet
답안지

명 …장[매] (= page)

I need a **sheet** of paper to make a card.
나는 카드를 만들기 위해 종이 한 ______ 이 필요하다.

535 **valley** [vǽli]

명 계곡 (= canyon)

A **valley** is an area of low land between two mountains.

_____ 은 두 산 사이의 낮은 지역이다.

536 **god** [gɑd]

명 신

God bless you!

당신에게 _____ 의 가호가 있기를!

+ goddess 명 여신

537 **image** [ímidʒ]

명 인상 (= impression); 모습, 영상

Try to express the **image** in your mind.

네 마음 속에 있는 _____ 을 표현해 보렴.

538 **upside down**

거꾸로 (= backward)

I turned the frame **upside down**.

나는 그 액자를 _____ 돌려 놓았다.

539 **take a trip**

여행하다 (= travel)

I have plans to **take a trip** in summer.

나는 여름에 _____ 할 계획을 갖고 있다.

540 **watch out**

조심하다 (= be careful)

Watch out for falling rocks.

떨어지는 돌들을 _____.

Get More '여행'을 뜻하는 단어들

1 **trip**
명 짧은 여행
a business **trip**
출장, 사업차 여행

2 **travel**
명 장거리 여행, 외국 여행
overseas **travel**
해외 여행

3 **tour**
명 관광으로 가는 여행
a group **tour**
단체 여행

DAY 36

Wrap-up Test

ANSWERS p. 284

A 영어는 우리말로, 우리말은 영어로 쓰시오.

1 god ____________
2 encourage ____________
3 although ____________
4 origin ____________
5 upside down ____________
6 여행하다 ____________
7 계곡 ____________
8 벌다, 얻다 ____________
9 조심하다 ____________
10 변호사, 법률가 ____________

B 빈칸에 알맞은 단어를 [보기]에서 골라 쓰시오. (필요시 형태를 고칠 것)

보기	conversation	pet	image	sheet	resource

11 May I join your ____________?
대화에 끼이도 될까요?

12 Water is a kind of natural ____________.
물은 천연자원의 한 종류이다.

13 Give me a(n) ____________ of paper to write on.
쓸 종이 한 장을 주세요.

14 The horror movie was full of scary ____________.
그 공포영화는 무서운 장면들로 가득했다.

15 We can't bring our ____________ inside the restaurant.
우리는 애완동물을 데리고 식당 안에 들어갈 수 없다.

C 설명하는 단어를 [보기]에서 골라 쓰시오.

보기	lawyer	origin	earn	pet	valley

16 to get something for work that you do ____________
17 an animal that you keep in your home ____________
18 where something begins or comes from ____________
19 an area of low land between hills or mountains ____________
20 someone whose job is to understand the law and deal with it ____________

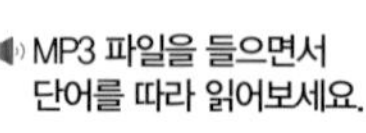

---

541 □□ **suppose**

[səpóuz]

sup[sub]+pose[put]
아래 놓다 → 가정하다

동 가정하다 (= imagine)

Let's **suppose** you are in Canada.
네가 캐나다에 있다고 ______.

---

542 □□ **comic**

[kámik]

comic book
만화책

형 우스운, 만화의

He collects famous **comic** books.
그는 유명한 ______ 책들을 수집한다.

✚ comical 형 웃기는, 재미있는

---

543 □□ **muscle**

[mʌ́səl]

명 근육

Physical exercise develops **muscles**.
육체적 운동은 ______을 발달시킨다.

✚ muscular 형 근육의

544 □□ **fault** [fɔːlt]

명 결점, 잘못 (= mistake)

No one is free from **fault**.

_____ 이 없는 사람은 없다.

545 □□ **screen** [skriːn]

명 화면

동 가리다 (= cover)

She is looking at a computer **screen**.

그녀는 컴퓨터 _____ 을 보고 있다.

546 □□ **bend** [bénd]

bend – bent – bent

동 구부리다, (몸을) 굽히다

I **bent** down to pick up the coin.

나는 동전을 줍기 위해 _____.

547 □□ **drug** [drʌg]

drug store
약국

명 약 (= medicine); 마약

The doctor gave me some **drugs**.

의사 선생님이 나에게 약간의 _____ 을 주었다.

548 □□ **press** [pres]

동 내리누르다

Insert coins and then **press** the number.

동전을 넣고 그 다음에 번호를 _____.

+ pressure 명 압력

549 □□ **allow** [əláu]

동 허락하다

He **allowed** me to use his cell phone.

그는 내가 그의 휴대전화를 쓰도록 _____.

+ allowance 명 허가; 용돈

550 **discuss** [diskʌ́s]

동 토론하다 (= debate)

Let's discuss the issue.

그 문제에 대해 ______ 보자.

+ discussion 명 토론

551 **signal** [sígnəl]

traffic signal
신호등

명 신호, 징조

Don't start yet. Wait for the signal.

아직 출발하지 마라. ______를 기다려라.

강세주의

552 **marine** [məríːn]

형 해양의

A whale is my favorite marine animal.

고래는 내가 제일 좋아하는 ______ 동물이다.

553 **turn into**

~가 …로 변하다

Tadpoles turn into frogs.

올챙이는 개구리로 ______.

554 **stay up all night**

밤을 새다 (= sit up late)

I stayed up all last night studying.

나는 지난밤 공부하느라 ______.

555 **put together**

모으다

I put together all the puzzle pieces.

나는 퍼즐 조각들을 한데 ______.

Get More 혼동되기 쉬운 발음

1 **bend** [bend] 동 구부리다
band [bænd] 명 악단; 끈

2 **pen** [pen] 명 펜
pan [pæn] 명 프라이팬

3 **bed** [bed] 명 침대
bad [bæd] 형 나쁜

DAY 37 Wrap-up Test

ANSWERS p. 284

A 영어는 우리말로, 우리말은 영어로 쓰시오.

1 fault ____________
2 signal ____________
3 put together ____________
4 suppose ____________
5 turn into ____________
6 구부리다, (몸을) 굽히다 ____________
7 내리누르다 ____________
8 우스운, 만화의 ____________
9 토론하다 ____________
10 밤을 새다 ____________

B 빈칸에 알맞은 단어를 [보기]에서 골라 쓰시오. (필요시 형태를 고칠 것)

보기	drug	muscle	screen	allow	marine

11 My teacher ____________ me to take a rest.
선생님께서 내게 쉬도록 허락해 주셨다.

12 This ____________ is good for stomachaches.
이 약은 복통에 잘 듣는다.

13 Dark glasses ____________ his eyes from the sun.
선글라스가 햇볕으로부터 그의 눈을 가려 주었다.

14 The effects of oil pollution on ____________ life was huge.
기름에 의한 오염이 해양 생물에 끼친 영향은 막대했다.

15 He exercises every day. His ____________ are as hard as steel.
그는 매일 운동한다. 그의 근육은 강철과 같이 단단하다.

C 설명하는 단어를 [보기]에서 골라 쓰시오.

보기	fault	comic	discuss	press	signal

16 funny and making you want to laugh ____________
17 to push something strongly ____________
18 a weakness in a person's character ____________
19 a gesture or sound to send someone a message ____________
20 to talk about something with another person in order to decide something ____________

MP3 파일을 들으면서
단어를 따라 읽어보세요.

556 □□ **rent**
[rent]

명 집세, 임대료
동 임대하다

The **rent** for a two-bedroom is $200 a month.
침실 두 개짜리 방 ______가 한 달에 200달러이다.

557 □□ **spill**
[spil]

동 쏟다, 엎지르다

I **spilled** juice on the table.
나는 탁자에 주스를 ______.

558 □□ **handle**
[hǽndl]

door handle
문 손잡이

명 손잡이
동 다루다 (= deal with)

Turn the **handle** and open the door.
______를 돌려 문을 여세요.

559 **path**
[pæθ]

명 길 (= way), 통로

There was a **path** between the trees.
나무 사이로 ______ 이 하나 있었다.

560 **error**
[érər]

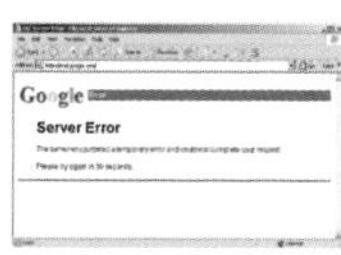

error message
오류 메시지

명 오류, 실수 (= mistake)

Correct the grammatical **error**.
문법적인 ______ 를 수정하세요.

강세주의

561 **garage**
[gərά:dʒ]

garage sale
창고 세일

명 차고

His car is too big to go into our **garage**.
그의 차는 너무 커서 우리 ______ 에 들어갈 수 없다.

562 **fence**
[fens]

명 울타리, 담 (= wall)

The thieves cut a hole in the **fence**.
도둑들이 ______ 에 구멍을 냈다.

563 **condition**
[kəndíʃən]

명 상태 (= state); 조건

The player is in good **condition**.
그 선수는 ______ 가 좋다.

+ conditional 형 조건부의

564 **steam**
[sti:m]

명 증기

The first car used **steam** instead of gasoline.
최초의 자동차는 휘발유 대신 ______ 를 사용했다.

Day 38

565 □□ **pain**
[pein]

명 아픔 (= ache), 고통

His face was full of **pain**.
그의 얼굴은 ______ 으로 가득했다.

✚ painful 형 고통스러운

566 □□ **certain**
[sə́ːrtn]

형 확신하는 (= sure), 확실한

I am **certain** that he arrived yesterday.
그가 어제 도착했다고 나는 ______ 한다.

✚ certainly 부 확실히
↔ uncertain 형 불확실한

567 □□ **giant**
[dʒáiənt]

one-eyed giant
외눈박이 거인

형 거대한 (= huge)
명 거인

My friend has a **giant**-sized TV.
내 친구는 ______ 크기의 TV가 있다.

↔ tiny 형 작은

568 □□ **work out**

운동하다 (= exercise)

I **work out** at a gym on Sundays.
나는 일요일마다 체육관에서 ______.

569 □□ **pull out**

…을 뽑다 (= take out)

The dentist **pulled out** my rotten tooth.
치과의사는 내 썩은 이를 ______.

570 □□ **talk to oneself**

혼잣말하다

My little sister sometimes **talks to herself**.
나의 여동생은 가끔 ______.

Get More 잘못 쓰이는 영어

1 자동차 운전대
handle (×)
steering wheel (○)

2 휴대전화
hand phone (×)
cell phone (○)

3 모발 유연제
hair rinse (×)
hair conditioner (○)

DAY 38

Wrap-up Test

✎ ANSWERS p. 285

A 영어는 우리말로, 우리말은 영어로 쓰시오.

1	error	____________	6	아픔, 고통	____________
2	garage	____________	7	손잡이, 다루다	____________
3	pull out	____________	8	길, 통로	____________
4	work out	____________	9	상태, 조건	____________
5	talk to oneself	____________	10	거대한, 거인	____________

B 빈칸에 알맞은 단어를 [보기]에서 골라 쓰시오. (필요시 형태를 고칠 것)

보기	spill	rent	certain	fence	steam

11 We ____________ a car at the airport.
우리는 공항에서 차를 빌렸다.

12 Did you ____________ Coke on the floor?
네가 바닥에 콜라를 쏟았니?

13 I saw the dog jumping over the ____________.
나는 그 개가 담장을 뛰어넘는 것을 보았다.

14 We can cook the vegetable with ____________.
우리는 증기로 야채를 요리할 수 있다.

15 It is ____________ that Dokdo belongs to Korea.
독도가 한국 영토라는 것은 확실하다.

C 의미가 통하도록 빈칸에 알맞은 단어를 [보기]에서 골라 쓰시오.

보기	error	handle	garage	giant	pain

16 You can keep a car in a(n) ____________.

17 ____________ is the feeling you have when you are ill.

18 A(n) ____________ is someone who is very big and strong.

19 A(n) ____________ is something you have done wrongly.

20 If you can ____________ a problem, you can deal with it successfully.

제가 보기에 아기는 마치 외계인처럼 생겼더라고요!

어머~어, 너무 예쁘다.

내 어릴 때..?

너 어릴 때와 똑같다~ 하하~

MP3 파일을 들으면서 단어를 따라 읽어보세요.

---

571 □□ **lovely** [lʌ́vli]

lovely doll
귀여운 인형

형 사랑스러운, 귀여운 (= cute)

Look at the lovely girl!
저 ______ 소녀를 봐!

+ love 명 사랑 동 사랑하다

---

572 □□ **reply** [riplái]

동 응답하다
명 응답 (= answer)

She asked why, but he didn't reply.
그녀는 이유를 물었지만, 그는 ______ 않았다.

철자주의

573 □□ **height** [hait]

명 높이; 키

What is your height and weight?
너의 ______와 몸무게가 어떻게 되니?

+ high 형 높은 부 높게

574 **near** □□
[niər]

형 가까운
부 전 가까이 (= nearby)

My dog is standing **near** the tree.
나의 강아지는 나무 ____ 서 있다.

↔ far 형 먼 부 멀리

---

575 **department** □□
[dipɑ́:rtmənt]

de[divide]+part+ment
나눈 것 → 부서

명 부서, 부 (= section)

She moved to the marketing **department**.
그녀는 판매 ____ 로 옮겼습니다.

---

576 **guard** □□
[gɑ:rd]

body guard
경호원

명 호위병
동 지키다 (= protect)

An armed **guard** stood in front of the bank.
무장한 ____ 이 은행 앞에 서 있었다.

+ guardian 명 보호자, 수호자

---

577 **person** □□
[pə́:rsən]

명 사람, 인간

He is an important **person** in our class.
그는 우리 학급에서 중요한 ____ 이다.

+ personal 형 개인의, 개인적인
personality 명 개성

---

578 **march** □□
[mɑ:rtʃ]

동 행진하다 (= parade)
명 행진

The band **marched** through the streets.
악대가 거리를 ____ .

---

579 **equal** □□
[í:kwəl]

equal sign
등호

형 동등한 (= same)
동 …와 같다

Everybody should have **equal** rights.
모든 사람이 ____ 권리를 가져야 한다.

+ equally 부 동등하게

580 □□ **century** [séntʃuri]

명 1세기 (= 100년)

This church was built in the eleventh **century**.

이 교회는 11 ______에 지어졌다.

581 □□ **wing** [wiŋ]

명 날개

The bird spread its **wings** and flew away.

그 새는 ______를 펼치고 날아갔다.

철자주의

582 □□ **thief** [θiːf]

명 도둑

I saw the **thief** run away.

나는 ______이 도망가는 것을 봤다.

583 □□ **take away**

…을 가져가다, 치우다

Can you **take away** this chair?

이 의자를 ______ 줄 수 있니?

584 □□ **work for**

…을 위해 일하다, …에서 일하다

I want to **work for** the car company.

나는 자동차 회사에서 ______ 싶다.

585 □□ **stay away**

떨어져 있다 (= keep away)

Stay away from the fire.

불에서 멀리 ______.

Get More march의 다양한 뜻

1 동 행진하다 명 행진(곡)

They **marched** into the town.

그들은 행진하여 도시로 들어왔다.

2 명 3월

School begins in **March**.

학교는 3월에 시작한다.

DAY 39 Wrap-up Test

ANSWERS p. 285

A 영어는 우리말로, 우리말은 영어로 쓰시오.

1	guard	____________	6	행진하다, 행진	____________
2	near	____________	7	떨어져 있다	____________
3	person	____________	8	사랑스러운, 귀여운	____________
4	thief	____________	9	…을 가져가다, 치우다	____________
5	work for	____________	10	1세기, 100년	____________

B 빈칸에 알맞은 단어를 [보기]에서 골라 쓰시오. (필요시 형태를 고칠 것)

보기 wing equal reply height department

11 Three plus four ____________ seven.
3 더하기 4는 7과 같다.

12 A plane has ____________ like a bird.
비행기도 새처럼 날개를 가지고 있다.

13 Jack belongs to the sales ____________.
Jack은 판매부서 소속이다.

14 He isn't that tall. He is medium ____________.
그는 그렇게 크지 않다. 그는 중간 키이다.

15 Can you ____________ to my question as soon as possible?
가능하면 빨리 내 질문에 대답해줄 수 있겠니?

C 설명과 일치하는 단어를 골라 ✓표시를 하시오.

16 to watch and protect a person ☐ guard ☐ march

17 a period of 100 years ☐ century ☐ department

18 not far away in distance or time ☐ height ☐ near

19 very pretty and pleasing to look at ☐ equal ☐ lovely

20 a person who steals something from another person ☐ thief ☐ wing

DAY 40

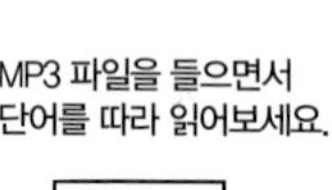

🔈 MP3 파일을 들으면서
단어를 따라 읽어보세요.

---

586 □□ **state**

[steit]

United States
of America(= USA)
미국 (= 미연방국가)

명 상태 (= situation); 주(州)

She is still in a **state** of shock.

그녀는 여전히 충격에 빠진 ______ 이다.

---

587 □□ **distance**

[dístəns]

명 거리

Everything is within walking **distance**.

모든 것이 걸을 수 있는 ______ 안에 있다.

+ distant 형 거리가 먼

강세주의

588 □□ **community**

[kəmjú:nəti]

명 공동사회 (= society), 공동체

Charity is one of the local **community** services.

자선은 지역 ______ 활동 중의 하나이다.

589 □□ **attend**
[ətέnd]

동 …에 참석하다 (= join)

He attended every meeting of the group.
그는 그룹의 모든 모임에 ______.

+ attendance 명 참석
  attendant 명 참석자

590 □□ **support**
[səpɔ́:rt]

sup[sub]+port
아래서 받치다 → 지지하다

명 지지, 후원
동 지지하다 (= assist)

Thank you so much for your support.
당신의 ______에 대단히 감사드립니다.

+ supporter 명 지지자

591 □□ **classic**
[klǽsik]

명 고전
형 고전의

I am interested in classic myths.
나는 ______ 신화에 관심이 있다.

+ classical 형 고전적인

592 □□ **admire**
[ædmáiər]

동 감탄하다, 존경하다 (= respect)

They all admired his bravery.
그들은 모두 그의 용기에 ______.

+ admirable 형 존경할 만한
  admirer 명 숭배자

593 □□ **joy**
[dʒɔi]

명 기쁨 (= pleasure)

We shouted with joy.
우리는 ______에 소리쳤다.

+ joyful 형 즐거운
↔ sorrow 명 슬픔

594 □□ **wave**
[weiv]

명 파도
동 흔들다

There comes a big wave!
저기 큰 ______가 다가온다!

595 **among** [əmʌ́ŋ]

전 … 사이에, … 가운데

I saw a little house **among** the trees.
나는 나무들 ______ 작은 집 하나를 보았다.

발음주의

596 **ocean** [óuʃən]

명 대양 (= sea)

The Pacific Ocean is the largest **ocean**.
태평양이 가장 큰 ______ 이다.

↔ continent 명 대륙

597 **repair** [ripέər]

repair shop
수선점

동 수리하다 (= fix)
명 수선, 수리

He **repaired** my friend's CD player.
그는 내 친구의 CD플레이어를 ______.

✚ repairman 명 수리공

598 **show up**

나타나다 (= appear)

The singer **showed up** on the stage.
그 가수가 무대에 ______.

599 **on weekends**

주말마다 (= every weekend)

On weekends, we go to the park.
______ 우리는 공원에 간다.

600 **be dying to**

몹시 …하고 싶어 하다

She **is dying to** meet you.
그녀는 너를 몹시 ______.

Get More wave의 다양한 뜻

1 명 파도
The girl is listening to the **waves**.
소녀는 파도 소리에 귀를 기울이고 있다.

2 동 흔들다
She **waved** her handkerchief at me.
그녀는 나를 향해 손수건을 흔들었다.

DAY 40 Wrap-up Test

ANSWERS p. 285

A 영어는 우리말로, 우리말은 영어로 쓰시오.

1 joy ____________
2 ocean ____________
3 attend ____________
4 show up ____________
5 be dying to ____________
6 주말마다 ____________
7 고전, 고전의 ____________
8 … 가운데, … 사이에 ____________
9 수리하다, 수선, 수리 ____________
10 파도, 흔들다 ____________

B 빈칸에 알맞은 단어를 [보기]에서 골라 쓰시오. (필요시 형태를 고칠 것)

보기	distance	state	support	admire	community

11 What is the ____________ of her health?
그녀의 건강 상태는 어떠니?

12 Many people ____________ the Red Cross.
많은 사람들이 적십자사를 후원한다.

13 You should try to do well in ____________ life.
너는 공동체 생활에서 잘 지내려고 노력해야 한다.

14 I want to be like Gandhi. I really ____________ him.
나는 간디처럼 되고 싶다. 나는 정말로 그를 존경한다.

15 The town is not so far. It's only at a short ____________.
마을은 그리 멀지 않아요. 아주 가까이에 있어요.

C 괄호 안의 지시에 맞는 단어를 골라 ✔표시를 하시오.

16 joy (유의어) ☐ pleasant ☐ pleasure
17 ocean (유의어) ☐ sea ☐ continent
18 admire (유의어) ☐ respect ☐ support
19 support (유의어) ☐ assist ☐ attend
20 classic (형용사형) ☐ classical ☐ class

Day 40

DAY 36~40 Review Test

ANSWERS p. 285

다음 우리말에 맞게 빈칸에 주어진 철자로 시작하는 단어를 쓰시오.

DAY 36

1 사적인 대화 — a private c________
2 배경 화면 — background i________
3 골짜기 — a mountain v________
4 생명의 기원 — the o________ of life
5 애완견 — a p________ dog
6 종이 한 장 — a s________ of paper

DAY 37

7 적신호 — a red s________
8 약국 — a d________ store
9 무릎을 꿇다 — b________ the knees
10 수상(水上) 경찰 — the m________ police
11 근육질의 사나이 — a man of m________
12 중대한 결점 — a serious f________

DAY 38

13 취급 주의 — h________ with care
14 자전거 도로 — a bicycle p________
15 사소한 오류 — a minor e________
16 판자 울타리 — a board f________
17 증기 기관 — a s________ engine
18 진통제 — a p________ killer

DAY 39

19 경비원 — a security g________
20 결혼 행진곡 — a wedding m________
21 편지에 답장을 쓰다 — r________ to a letter
22 도둑을 잡다 — catch a t________
23 동등한 기회 — e________ opportunity
24 19세기 — the nineteenth c________

DAY 40

25 전쟁 상태 — a s________ of war
26 장거리 전화 — a long d________ call
27 지역 사회 — a local c________
28 고전적인 디자인 — c________ design
29 수리 중인 — under r________
30 인도양 — the Indian O________

기본 전치사 07 on

전치사 살펴보기

전치사 on은 기본적으로 '…위에, …에'라는 뜻을 나타냅니다.

장소, 위치 (…에서)	시간 (…에)
on the wall 벽에	**on** Sunday 일요일에
on the lake 호수에	**on** a weekend 주말에
on the desk 책상에	**on** my birthday 내 생일에
on the grass 풀밭에	**on** December 20th 12월 20일에
on the ceiling 천장에	**on** Christmas morning 성탄절 아침에

문장 속에서 보는 전치사

We will meet **on** Sunday. 우리는 일요일에 만날 것이다.

There is a picture **on** the wall. 그림이 벽에 걸려 있다.

They are sitting **on** the grass. 그들은 풀밭에 앉아 있다.

Put your books **on** the desk. 네 책들을 책상 위에 두어라.

We had snow **on** Christmas morning. 성탄절 아침에 눈이 내렸다.

MP3 파일을 들으면서 단어를 따라 읽어보세요.

---

601 □□ **courage**
[kə́:ridʒ]

명 용기 (= bravery), 담력

She didn't have the courage to leave.
그녀는 떠날 ______ 가 없었다.

+ courageous 형 용감한

---

602 □□ **flash**
[flæʃ]

flashlight
손전등

명 번쩍임, 불빛 (= light)

I saw a flash of lightning.
나는 번갯불의 ______ 을 보았다.

---

603 □□ **offer**
[ɔ́(:)fər]

동 제공하다, 제안하다 (= suggest)

He offered to carry my bag.
그가 내 가방을 들어 주겠다고 ______.

604 **tense**
□□
[tens]

형 긴장한, 팽팽한

I suddenly became **tense**.
나는 갑자기 ______ 되었다.

+ tension 명 긴장

605 **except**
□□
[iksépt]

전 …을 제외하고

I don't know anyone **except** you.
너를 ______ 나는 아무도 모른다.

+ exception 명 제외

606 **local**
□□
[lóukəl]

형 장소의, 지방의

I usually buy things at our **local** stores.
나는 보통 우리 ______ 가게에서 물건을 산다.

+ location 명 장소

607 **importance**
□□
[impɔ́:rtəns]

명 중요성

My mother always tells us about the **importance** of love.
어머니는 항상 우리에게 사랑의 ______ 에 대해 말씀하신다.

+ important 형 중요한
↔ unimportance 명 하찮음

608 **normal**
□□
[nɔ́:rməl]

형 전형적인 (= standard), 보통의 (= usual)

It is **normal** for people to argue sometimes.
사람들이 때때로 언쟁을 하는 것은 지극히 ______ 이다.

+ normally 부 정상적으로

609 **cash**
□□
[kæʃ]

cash card
현금카드

명 현금, 돈 (= money)

We have run out of **cash**.
우리는 ______ 이 없다.

Day 41

610 □□ **anybody** [énibàdi]

대 (긍정문) 누구든지, (부정문) 아무도 (= anyone)

Anybody can do it.

그것은 ________ 할 수 있다.

철자주의

611 □□ **manner** [mǽnər]

명 (일반적으로 pl.) 예의, 방법 (= method)

A gentleman is defined as one who has good manners.

신사란 ________ 를 지닌 사람을 말한다.

612 □□ **clever** [klévər]

형 영리한, 똑똑한 (= bright, smart)

I think that he is very clever.

나는 그가 매우 ________ 하다고 생각한다.

↔ stupid 형 어리석은

613 □□ **be far from**

…에서 멀다

Seoul is far from Busan.

서울은 부산에서 ________.

↔ be close to …에 가깝다

614 □□ **at first**

처음에는 (= at the beginning)

I didn't like her at first.

________ 나는 그녀를 좋아하지 않았다.

615 □□ **count down**

수를 거꾸로 세다

He counted down from six to one.

그는 6에서 1까지 ________.

↔ count up to …까지 수를 세다

Get More flash *vs.* flesh

1 **flash** [flæʃ]
명 번쩍임, 섬광, 갑자기 떠오름
a flash of wit 번득이는 재치

2 **flesh** [fleʃ]
명 (인간이나 동물의) 살
gain flesh 살찌다

DAY 41 Wrap-up Test

ANSWERS p. 286

A 영어는 우리말로, 우리말은 영어로 쓰시오.

1 local ____________
2 except ____________
3 anybody ____________
4 tense ____________
5 be far from ____________
6 예의, 방법 ____________
7 처음에는 ____________
8 영리한, 똑똑한 ____________
9 현금, 돈 ____________
10 수를 거꾸로 세다 ____________

B 빈칸에 알맞은 단어를 [보기]에서 골라 쓰시오. (필요시 형태를 고칠 것)

보기	flash	offer	importance	normal	courage

11 I ____________ her a job.
나는 그녀에게 일자리를 제공했다.

12 You need ____________ to fight enemies.
너는 적들과 싸우기 위해 용기가 필요하다.

13 Your pulse and temperature are ____________.
너의 맥박과 체온은 정상이다.

14 I want you to learn the ____________ of working hard.
나는 네가 열심히 일하는 것의 중요성을 배우기를 바란다.

15 We saw occasional ____________ of lightning in the northern sky.
우리는 북쪽 하늘에서 이따금씩 번개가 번쩍이는 것들을 보았다.

C 설명하는 단어를 [보기]에서 골라 쓰시오.

보기	courage	local	cash	clever	tense

16 money in the form of notes and coins ____________
17 feeling nervous and worried, or unable to relax ____________
18 relating to the certain area you live in ____________
19 able to learn and understand things quickly and easily ____________
20 the ability to control your fear and be brave in dangerous or difficult situations ____________

---

616 **poor**
[puər]

형 가난한, 불쌍한

Mother Teresa helped **poor** people.
테레사 수녀는 ______ 사람들을 도왔다.

↔ rich 형 부유한

---

617 **catch**
[kætʃ]

catch – caught – caught

catch a cold
감기에 걸리다

동 잡다; 걸리다

The brave man **caught** the robber.
그 용감한 남자가 강도를 ______.

---

618 **lay**
[lei]

lay – laid – laid

동 놓다, 눕히다

Lay your book on the desk.
네 책을 책상 위에 ______.

발음주의

619 **jewel**
[dʒúːəl]

jewel box
보석함

명 보석 (= gem), 장신구

a ring set with a **jewel**
반지

+ jewelry 명 보석류
jeweler 명 보석 상인

620 **blood**
[blʌd]

명 피, 혈액

Blood is thicker than water.
는 물보다 진하다.

+ bleed 동 피를 흘리다

621 **decide**
[disáid]

동 결정하다 (= determine)

He could not **decide** where to go.
그는 어디로 가야 할지 수 없었다.

+ decision 명 결정

622 **powder**
[páudər]

명 가루, 분말

Add the flour and cocoa **powder**.
밀가루와 코코아 를 넣어라.

623 **mild**
[maild]

형 온화한 (= gentle); 관대한

The climate here is **mild** and good for health.
이곳의 기후는 하여 건강에 좋다.

624 **research**
[ríːsəːrtʃ]

명 연구
동 연구하다

He gave his life to his **research**.
그는 일생을 에 바쳤다.

+ researcher 명 연구원

Day 42

625 **guest**
[gest]

명 손님 (= visitor), 내빈

All the **guests** at the party were happy.
파티에 온 모든 ______ 은 행복했다.

↔ host 명 주인

발음주의

626 **business**
[bíznis]

business card
명함

명 일, 사업

She has started her own **business**.
그녀는 자신의 ______ 을 시작했다.

+ businessman 명 회사원

627 **master**
[mǽstər]

명 주인 (= owner), 지배자

Like **master**, like man.
그 ______ 에 그 머슴. (아랫사람은 윗사람을 본받기 마련이다.)

↔ servant 명 하인

628 **be similar to**

…와 비슷하다

Your opinion **is similar to** mine.
당신의 의견은 내 의견과 ______.

629 **come along with**

…와 함께 가다

If you like movies, **come along with** me.
만약 네가 영화를 좋아한다면 나와 ______.

630 **and so on**

기타 등등 (= and so forth, etc.)

She grows roses, violets, sunflowers, **and so on**.
그녀는 장미, 제비꽃, 해바라기 ______ 기른다.

Get More catch의 다양한 뜻

1 동 잡다
He **caught** the ball.
그가 공을 잡았다.

2 동 (병에) 걸리다
I **caught** a bad cold.
나는 독감에 걸렸다.

DAY 42 Wrap-up Test

ANSWERS p. 286

A 영어는 우리말로, 우리말은 영어로 쓰시오.

1	decide	________	6	연구, 연구하다	________
2	powder	________	7	보석, 장신구	________
3	catch	________	8	놓다, 눕히다	________
4	master	________	9	…와 함께 가다	________
5	and so on	________	10	…와 비슷하다	________

B 빈칸에 알맞은 단어를 [보기]에서 골라 쓰시오. (필요시 형태를 고칠 것)

보기	poor	mild	business	blood	guest

11 Italy has a ________ climate.
이탈리아는 온화한 기후를 가지고 있다

12 They were too ________ to buy shoes for the kids.
그들은 너무 가난해서 아이들에게 신발을 사 줄 수가 없었다.

13 He welcomed his ________ with delight.
그는 기뻐하며 손님들을 맞이했다.

14 We can't make money out of this ________.
우리는 이 사업으로는 돈을 벌 수가 없다.

15 Mosquitoes suck the ________ of people and animals.
모기는 사람과 동물의 피를 빨아먹는다.

C 설명하는 단어를 [보기]에서 골라 쓰시오.

보기	jewel	powder	decide	research	mild

16 calm and not that strong ________
17 to choose to do something ________
18 a dry substance made of many small and loose grains ________
19 a precious stone used to decorate valuable things ________
20 to study a subject to discover new information about something ________

MP3 파일을 들으면서
단어를 따라 읽어보세요.

---

631 □□ **cause**
[kɔːz]

명 원인
동 초래하다

What was the **cause** of World War II?
2차 세계대전의 ______ 이 무엇이었는가?

강세주의

632 □□ **effect**
[ifékt]

명 결과, 효과, 영향

cause and **effect**
원인과 ______

+ effective 형 효과적인
affect 동 영향을 미치다

---

633 □□ **behavior**
[bihéivjər]

명 행동

Your **behavior** was out of line.
네 ______ 은 도가 지나쳤다.

+ behave 동 행동하다

634 **branch** [bræntʃ]

명 (나뭇)가지; 지점

He cut **branches** off a tree.
그는 나무에서 ______ 를 잘랐다.

635 **realize** [ríːəlàiz]

동 깨닫다

He **realized** he made a mistake.
그는 자기가 실수했다는 것을 ______.

+ realization 명 깨달음

636 **pattern** [pǽtərn]

zebra pattern
얼룩말 무늬

명 무늬, 양식 (= style)

She bought a carpet with a flower **pattern**.
그녀는 꽃 ______ 가 있는 카펫을 구입했다.

+ patterned 형 무늬의, 무늬가 있는

637 **grand** [grænd]

형 위대한 (= great); 웅장한

I met a lot of **grand** people.
나는 많은 ______ 사람들을 만났다.

638 **hope** [houp]

동 희망하다
명 희망

I **hope** to see you soon.
나는 곧 너를 볼 수 있기를 ______.

+ hopeful 형 희망에 찬, 기대하는

639 **major** [méidʒər]

형 주요한 (= main), 대다수의
명 전공

Drinking was the **major** cause of his death.
음주가 그의 죽음의 ______ 이유였다.

+ majority 명 대다수
↔ minor 형 중요치 않은 명 부전공

발음주의

640 □□ **climate**
[kláimit]

tropical climate
열대성 기후

명 기후 (= weather); 풍조

The **climate** here does not agree with me.
이곳의 ________ 는 내게 안 맞는다.

641 □□ **package**
[pǽkidʒ]

명 꾸러미, 소포 (= parcel)

Let me help you with those **packages**.
당신의 ________ 를 들어 드릴게요.

642 □□ **grave**
[greiv]

명 무덤, 묘 (= tomb)

He visited his grandfather's **grave**.
그는 할아버지 ________ 을 찾아 성묘했다.

643 □□ **as a result**

그 결과로서

As a result of the car accident, he was seriously injured.
그 교통사고의 ________ 그는 심각한 부상을 입었다.

644 □□ **be different from**

…와 다르다

I **am different from** my sister.
나는 내 여동생과 ________.

645 □□ **calm down**

진정하다

Please **calm down** and listen to me.
________ 하고 내 말을 들어 봐.

Get More branch의 다양한 뜻

1 명 (나뭇)가지
a fallen tree **branch**
떨어진 나뭇가지

2 명 지점, 분점
an overseas **branch**
해외 지점

DAY 43 Wrap-up Test

ANSWERS p. 286

A 영어는 우리말로, 우리말은 영어로 쓰시오.

1 effect	________	6 깨닫다	________
2 calm down	________	7 나뭇가지, 지점	________
3 hope	________	8 기후, 풍조	________
4 package	________	9 주요한, 대다수의, 전공	________
5 as a result	________	10 …와 다르다	________

B 빈칸에 알맞은 단어를 [보기]에서 골라 쓰시오. (필요시 형태를 고칠 것)

보기	pattern	grave	behavior	cause	grand

11 There were flowers on the ________.
무덤에 꽃들이 있었다.

12 It ________ him many problems.
그것은 그에게 많은 문제들을 초래했다.

13 I don't like his impolite ________.
나는 그의 무례한 행동이 마음에 안 들어.

14 Moai is ________ and even beautiful.
모아이는 웅장하고 아름답기까지 하다.

15 Do you know that every zebra has a different ________ of stripes?
여러분은 각각의 얼룩말이 서로 다른 줄무늬를 가지고 있다는 것을 알고 있나요?

C 설명하는 단어를 [보기]에서 골라 쓰시오.

보기	branch	climate	major	effect	realize

16 the result that is caused by something ________

17 the weather conditions that an area usually has ________

18 to understand something that you did not understand before ________

19 one of the many parts of a tree that grows out from its trunk ________

20 more important, bigger or more serious than others of the same type ________

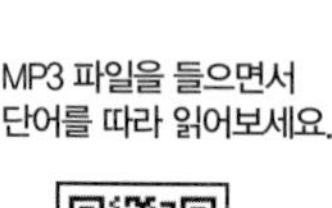

MP3 파일을 들으면서
단어를 따라 읽어보세요.

---

646 □□ **lonely**
[lóunli]

형 외로운, 쓸쓸한

Whenever I feel lonely, I keep my diary.

나는 ______ 느낄 때마다 일기를 쓴다.

+ loneliness 명 외로움

---

647 □□ **occasion**
[əkéiʒən]

명 (특수한) 경우, 행사 (= event)

The Olympics are a very famous occasion in the world.

올림픽은 세계에서 매우 유명한 ______ 이다.

+ occasional 형 이따금의
  occasionally 부 가끔

---

648 □□ **neat**
[niːt]

형 단정한 (= tidy), 말쑥한

What a neat room this is!

정말 ______ 방이군요!

+ neatly 부 단정하게

강세주의

649 ☐☐ **especially**
[ispéʃəli]

부 특히 (= specially), 유달리

He is good at all his subjects, especially English.
그는 전 과목을 잘하지만 ______ 영어를 잘한다.

650 ☐☐ **medical**
[médikəl]

형 의학적인, 의료의

The doctor gave me medical advice.
그 의사는 나에게 ______ 조언을 해 주었다.

+ medicine 명 약, 의학, 의료

651 ☐☐ **mud**
[mʌd]

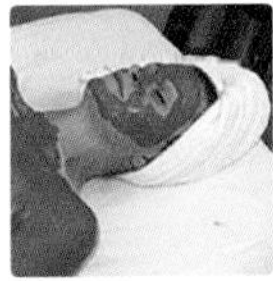

mud pack
진흙 팩

명 진흙

My new coat became dirty with mud.
내 새 코트는 ______ 으로 더러워졌다.

+ muddy 형 진흙의

652 ☐☐ **coast**
[koust]

명 연안 (= shore), 해안

I passed all winter on the south coast.
나는 겨우내 남쪽 ______ 에서 보냈다.

+ coastal 형 해안의, 연안의

발음주의

653 ☐☐ **castle**
[kæsl]

명 성(城)

The castle was surrounded by tall mountains.
그 ______ 은 높은 산들로 둘러 싸여 있었다.

발음주의

654 ☐☐ **cough**
[kɔːf]

명 기침
동 기침하다

He had a bad cough.
그는 ______ 을 심하게 했다.

Day 44

655 **raincoat**
[réinkòut]

명 우비

I bought a pink **raincoat**.
나는 분홍색 ______를 샀다.

656 **base**
[beis]

명 토대, 기초

His **base** of English is strong.
그의 영어에 대한 ______는 탄탄하다.

+ basic 형 기초적인

657 **pure**
[pjuər]

pure gold
순금

형 순수한; 깨끗한 (= clean)

I like her **pure** mind.
나는 그녀의 ______ 마음이 좋다.

+ purity 명 맑음, 청결
purify 동 정화하다

658 **by mistake**

실수로

We went past the house **by mistake**.
우리는 ______ 그 집을 지나쳐 버렸다.

↔ on purpose 고의로

659 **check up**

조사하다, 검토하다

The policeman **checked up** her suitcase.
경찰이 그녀의 여행 가방을 ______.

660 **be full of**

…으로 가득 차다 (= be filled with)

The bottle **is full of** water.
그 병은 물로 ______.

Get More pure의 다양한 뜻

1 형 순수한
This diamond ring is made of **pure** gold.
이 다이아몬드 반지는 순금으로 만들어졌다.

2 형 깨끗한
I climbed the mountain and enjoyed the **pure** air.
나는 산에 올라 깨끗한 공기를 마셨다.

DAY 44

Wrap-up Test

ANSWERS p. 286

A 영어는 우리말로, 우리말은 영어로 쓰시오.

1 especially ____________
2 coast ____________
3 check up ____________
4 base ____________
5 by mistake ____________
6 진흙 ____________
7 의학적인, 의료의 ____________
8 순수한, 깨끗한 ____________
9 기침, 기침하다 ____________
10 …으로 가득차다 ____________

B 빈칸에 알맞은 단어를 [보기]에서 골라 쓰시오. (필요시 형태를 고칠 것)

보기	lonely	occasion	neat	castle	raincoat

11 His clothes were always ____________ and clean.
그의 옷은 항상 단정하고 깨끗했다.

12 He wears a yellow ____________.
그는 노란색 우비를 입고 있다.

13 They attacked the ____________ with a cannon.
그들은 대포로 성을 공격했다.

14 Be careful of your behavior on a formal ____________.
공식적인 행사에서 너의 행동을 조심해라.

15 She felt ____________ because she had no one to talk with.
그녀는 함께 이야기를 나눌 사람이 없어서 외로웠다.

C 괄호 안의 지시에 맞는 단어를 찾아 선으로 연결하시오.

16 pure(유의어) • • ⓐ medicine
17 coast(유의어) • • ⓑ event
18 mud(형용사형) • • ⓒ shore
19 medical(명사형) • • ⓓ clean
20 occasion(유의어) • • ⓔ muddy

Day 44

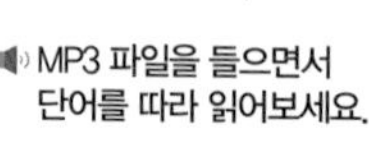

---

661 **harm** [hɑːrm]

명 해악, 손해 (= damage)

There's no harm in trying.
해 보는 데 ______ 볼 것은 없다.

+ harmful 형 해로운
  harmless 형 무해한
↔ benefit 명 이득

발음주의

662 **exact** [igzǽkt]

형 정확한

Please tell me the exact time to meet.
만날 ______ 시간을 말해 주세요.

+ exactly 부 정확히

---

663 **found** [faund]

동 설립하다 (= establish), 세우다

The university was founded in 1920.
그 대학교는 1920년에 ______.

+ foundation 명 기초, 토대; 설립

664 **relationship**
[riléiʃənʃip]

명 관계

I have a good **relationship** with my friends.
나는 친구들과 좋은 를 가지고 있다.

➕ relation 명 관계, 관련성

665 **fellow**
[félou]

명 사나이; 녀석 (= guy)

He lost a perfect chance, poor **fellow**!
그는 절호의 기회를 놓쳤어, 불쌍한 !

666 **backward**
[bǽkwərd]

부 뒤쪽으로, 거꾸로
형 뒤쪽의

I set my watch one hour **backward**.
나는 시곗바늘을 한 시간 돌려놓았다.

↔ forward 부 앞으로 형 앞쪽의

발음주의

667 **iron**
[áiərn]

iron man
철인

명 철, 쇠; 다리미

He beat **iron** into thin plates.
그는 를 두들겨 얇은 판으로 폈다.

668 **balance**
[bǽləns]

명 균형, 조화

check and **balance**
견제와

➕ balanced 형 균형 잡힌

669 **metal**
[métl]

명 금속

This statue is made of **metal**.
이 동상은 으로 만들어졌다.

Day 45

670 **engine**
[éndʒin]

fire engine
소방차

명 엔진; 기관차

The **engine** is the most important part of a car.
자동차에서 ______이 가장 중요한 부품이다.

671 **hammer**
[hǽmər]

명 망치

Hit the nail with the **hammer**.
______로 못을 쳐라.

672 **powerful**
[páuərfəl]

형 강한 (= strong), 힘 있는

She has a **powerful** voice and great singing ability.
그녀는 ______ 목소리와 가창력을 지녔다.

↔ powerless 형 무력한

673 **be opposite to**

…에 반대하다

People **were opposite to** our plan.
사람들은 우리의 계획에 ______.

↔ agree with …에 찬성하다

674 **break down**

고장나다; 파괴하다

My car **broke down**, so a truck towed it to the garage.
내 차가 ______ 트럭이 정비소까지 견인해 갔다.

675 **care for**

돌보다 (= take care of); 좋아하다

I **cared for** my brother yesterday.
나는 어제 남동생을 ______.

Get More iron의 다양한 뜻

1 명 철, 쇠
I don't know when the **Iron** Age began.
나는 철기시대가 언제 시작되었는지 모른다.

2 동 다림질하다
My mother **ironed** my father's shirt.
어머니께서 아버지의 셔츠를 다리셨다.

DAY 45 Wrap-up Test

ANSWERS p. 287

A 영어는 우리말로, 우리말은 영어로 쓰시오.

1 iron ____________
2 powerful ____________
3 break down ____________
4 harm ____________
5 hammer ____________
6 설립하다, 세우다 ____________
7 사나이, 녀석 ____________
8 …에 반대하다 ____________
9 좋아하다, 돌보다 ____________
10 엔진, 기관차 ____________

B 빈칸에 알맞은 단어를 [보기]에서 골라 쓰시오. (필요시 형태를 고칠 것)

보기	exact	relationship	balance	backward	metal

11 We use various ____________ to make the machines.
우리는 그 기계를 만들기 위해 여러 가지 금속을 사용한다.

12 He looked at his watch for the ____________ time.
그는 정확한 시간을 알기 위해 그의 시계를 보았다.

13 Do you have a good ____________ with your parents?
너는 너의 부모님과의 관계가 좋니?

14 It's hard to keep a(n) ____________ between work and home.
일과 가정 사이에 균형을 유지하는 것은 어렵다

15 Put your hands on your waist and then bend your body ____________.
손을 허리에 댄 후 몸을 뒤로 젖혀라.

C 설명하는 단어를 [보기]에서 골라 쓰시오.

보기	relationship	iron	engine	powerful	hammer

16 having a lot of strength or force ____________
17 the way in which things are connected ____________
18 a strong metal used to make steel ____________
19 a kind of tool for hitting nails or breaking things ____________
20 the part of a car that produces the power which makes the vehicle move ____________

DAY 41~45 Review Test

ANSWERS p. 287

다음 우리말에 맞게 빈칸에 주어진 철자로 시작하는 단어를 쓰시오.

DAY 41

1 낙담하다 lose c________
2 일자리를 제공하다 o________ a job
3 현금 계좌 c________ account
4 정상적인 행동 n________ behavior
5 부드러운 태도 a gentle m________
6 현명한 충고 a c________ advice

DAY 42

7 보석함 a j________ box
8 혈액 은행 a b________ bank
9 온화한 기후 a m________ climate
10 폐업한 out of b________
11 만능 열쇠 a m________ key
12 방명록 a g________ book

DAY 43

13 원인과 결과 c________ and effect
14 부작용 a side e________
15 지점장 a b________ manager
16 물방울 무늬 a dot p________
17 웅장한 산 a g________ mountain
18 묘지 도굴꾼 a g________ robber

DAY 44

19 의료센터 a m________ center
20 마법의 성 a magic c________
21 진흙 축제 the m________ festival
22 해안 경비대 a c________ guard
23 기침약 a c________ medicine
24 순수 과학 p________ science

DAY 45

25 평균대 a b________ beam
26 철문 an i________ gate
27 중금속 a heavy m________
28 엔진 고장 an e________ failure
29 해가 되지 않다 do no h________
30 후진 장치 b________ gear

기본 전치사 08 in

전치사 살펴보기

전치사 in은 기본적으로 '…의 안에, …에'라는 상대적으로 넓은 범위를 나타냅니다.

장소 (…의 안에)	시간 (…에)
in Korea 한국에	**in** August 8월에
in Busan 부산에	**in** 2017 2017년에
in the cup 그 컵 안에	**in** summer 여름에
in the kitchen 부엌에	**in** the future 미래에
in the bag 그 가방 안에	**in** the 21th century 21세기에

문장 속에서 보는 전치사

My parents live **in** Busan. 우리 부모님은 부산에 사신다.

She looked **in** the bag. 그녀는 그 가방 안을 들여다보았다.

There's some sugar **in** the cup. 그 컵 안에 설탕이 약간 있다.

I first visited China **in** 2017. 나는 중국을 2017년에 처음 방문했다.

What do you want to be **in** the future? 너는 장래에 무엇이 되고 싶니?

MP3 파일을 들으면서 단어를 따라 읽어보세요.

676 **bank**
[bæŋk]

명 은행

We keep our money in a **bank**.
우리는 우리의 돈을 ______ 에 맡긴다.

+ banker 명 은행원

발음주의

677 **pause**
[pɔːz]

pause button
일시 정지 버튼

동 중단하다 (= stop)
명 중지

He **paused** to look at the view.
그는 경치를 보기 위해 하던 일을 잠시 ______.

↔ start 동 시작하다

678 **bless**
[bles]

동 축복하다, 은혜를 베풀다

She **blessed** her son and daughter.
그녀는 자기 아들과 딸을 ______.

+ blessing 명 축복

679 **northern**
[nɔ́ːrðərn]

형 북쪽의

It's a very small country in Northern Europe.
그 나라는 　　　　 유럽에 있는 매우 작은 나라다.

+ north 명 북쪽
↔ southern 형 남쪽의

680 **fuel**
[fjúːəl]

fossil fuel
화석 연료

명 연료

Add fuel to the fire.
불에 　　　　 붓기. (속담: 불 난 집에 부채질한다.)

681 **harbor**
[háːrbər]

명 항구, 항만 (= port)

The blue car was driving along the harbor.
그 파란 차는 　　　　 를 따라 달리고 있었다.

강세주의

682 **apart**
[əpáːrt]

부 떨어져; 산산이

We had a fight and walked apart.
우리는 싸워서 　　　　 걸었다.

683 **panel**
[pǽnl]

명 위원단; 널빤지

We invited a panel of experts.
우리는 전문가로 구성된 　　　　 을 초대했다.

684 **anywhere**
[énihwὲər]

대 (긍정문) 어디든지, (부정문) 아무 데도

You can go anywhere.
　　　　 가도 좋다.

Day 46

685 □□ **death** [deθ]

명 죽음, 사망

His **death** was a great shock to her.
그의 ______ 은 그녀에게 큰 충격이었다.

+ die 동 죽다
  dead 형 죽은
↔ life 명 생명, 삶

---

686 □□ **mad** [mæd]

형 미친 (= crazy); 화가 난 (= angry)

He must be **mad** to do such a thing.
그가 그런 짓을 하다니 ______ 것이 틀림없다.

+ madness 명 광기

---

687 □□ **nail** [neil]

명 못; 손톱

My sleeve got caught on a **nail**.
______ 에 내 옷 소매가 걸렸다.

nail clipper
손톱깎이

---

688 □□ **be sure about**

…에 대해 확신하다 (= be certain of)

I **am sure about** your honesty.
나는 당신의 정직함에 ______.

---

689 □□ **blow out**

불어 끄다

The man is going to **blow out** the candles.
남자가 촛불을 ______ 한다.

---

690 □□ **congratulate on**

…을 축하하다

I **congratulate** you **on** the birth of your son!
득남을 ______!

Get More mad의 다양한 뜻

1 형 화가 난
She is **mad** at me.
그녀는 나에게 화가 났다.

2 형 열광하는; (~을) 원하는
He was **mad** for a new car.
그는 새 차를 몹시 갖고 싶어했다.

DAY 46 Wrap-up Test

ANSWERS p. 287

A 영어는 우리말로, 우리말은 영어로 쓰시오.

1	anywhere	____________	6	…을 축하하다	____________
2	apart	____________	7	중단하다, 중지	____________
3	panel	____________	8	…에 대해 확신하다	____________
4	northern	____________	9	미친, 화가 난	____________
5	blow out	____________	10	축복하다, 은혜를 베풀다	____________

B 빈칸에 알맞은 단어를 [보기]에서 골라 쓰시오. (필요시 형태를 고칠 것)

보기	bank	fuel	harbor	death	nail

11 I had a bad habit of biting my ____________.
나는 손톱을 물어뜯는 안 좋은 버릇이 있었다.

12 A lighthouse guides ships to a ____________.
등대는 배들을 항구로 안내한다.

13 Can you tell me how to get to the ____________?
은행으로 가는 길 좀 말해 주실래요?

14 I am so sorry about your grandfather's ____________.
할아버지께서 돌아가셨다니 정말 유감이구나.

15 The airplane was out of ____________ and made an emergency landing.
그 비행기는 연료가 바닥이 나서 비상 착륙을 했다.

C 설명과 일치하는 단어를 골라 ✔표시를 하시오.

16	crazy or very angry	☐ mad	☐ made
17	a flat and rectangular piece of wood	☐ panel	☐ pan
18	to stop doing something for a short time	☐ pass	☐ pause
19	to ask for God's help and protection for someone or something	☐ bless	☐ bring
20	a thin piece of metal with a sharp end used to join things	☐ mail	☐ nail

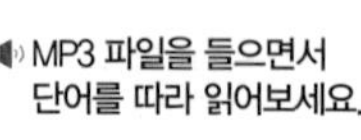

MP3 파일을 들으면서
단어를 따라 읽어보세요.

691 □□ **unique**
[ju:ní:k]

uni[one]+que
하나의 → 독특한

형 독특한, 유일한 (= single)

Her style is very **unique**.
그녀의 스타일은 매우 ______ 하다.

+ uniqueness 명 독특함

692 □□ **temperature**
[témpərətʃər]

명 온도; 체온

He took my **temperature**.
그는 나의 ______ 을 쟀다.

693 □□ **wood**
[wud]

wooden chopsticks
나무 젓가락

명 목재; 숲

Dry **wood** catches fire well.
마른 ______ 가 불에 잘 탄다.

+ wooden 형 나무로 된

694 **accept**
[æksépt]

동 받아들이다 (= receive)

I **accepted** his apology.
나는 그의 사과를 ______.

+ acceptance 명 용인, 수락
↔ refuse 동 거절하다

발음주의

695 **tough**
[tʌf]

형 단단한 (= strong); 힘든 (= difficult)

His fist is as **tough** as stone.
그의 주먹은 돌처럼 ______ 하다.

↔ weak 형 약한

696 **learn**
[ləːrn]

동 배우다

I **learned** how to swim.
나는 수영하는 법을 ______.

+ learning 명 학습
↔ teach 동 가르치다

697 **consider**
[kənsídər]

동 고려하다 (= think); …라고 여기다

You should **consider** the feelings of others.
너는 다른 사람들의 감정을 ______ 해야 한다.

+ considerate 형 사려 깊은
consideration 명 심사숙고, 고려

698 **point**
[pɔint]

명 점, 점수; 요점
동 가리키다

Our team didn't score a **point**.
우리 팀은 ______ 를 내지 못했다.

699 **index**
[índeks]

index card
색인 카드

명 색인

The book has an **index**.
그 책에는 ______ 이 있다.

Day 47

700 **double** [dʌ́bəl]

형 두 배의
동 두 배로 하다

She did double her usual amount of work yesterday.
그녀는 어제 평소의 ______ 일을 했다.

701 **gun** [gʌn]

명 총 (= shotgun)

He aimed the gun at the target.
그는 과녁에 ______ 을 겨누었다.

702 **battle** [bætl]

명 전투 (= war)

He came through the battle alive.
그는 ______ 에서 살아 돌아왔다.

703 **feel free to**

마음 편히 …하다

If you have any questions, please feel free to ask me.
만약 질문이 있다면 저에게 ______.

704 **do one's best**

최선을 다하다 (= try one's hardest)

I always do my best.
나는 언제나 ______.

705 **go mad**

미치다 (= be crazy); 열광하다

He went mad with grief after his son died.
아들이 죽은 후 그 남자는 슬퍼서 ______.

point의 다양한 뜻

1 명 요점
I missed the **point** of the story.
나는 이야기의 요점을 놓쳤다.

2 동 가리키다
She **pointed** at her mother.
그녀는 그녀의 엄마를 가리켰다.

DAY 47 Wrap-up Test

ANSWERS p. 287

A 영어는 우리말로, 우리말은 영어로 쓰시오.

1 unique ______________ 6 목재, 숲 ______________

2 index ______________ 7 점수, 요점, 가리키다 ______________

3 do one's best ______________ 8 두 배의, 두 배로 하다 ______________

4 consider ______________ 9 미치다, 열광하다 ______________

5 battle ______________ 10 마음 편히 …하다 ______________

B 빈칸에 알맞은 단어를 [보기]에서 골라 쓰시오. (필요시 형태를 고칠 것)

보기	temperature	wood	accept	tough	learn

11 The ______________ dropped suddenly.
온도가 갑자기 떨어졌다.

12 She did not ______________ my present.
그녀는 내 선물을 받아들이지 않았다.

13 The drawer is made of ______________.
이 서랍은 나무로 만들어진 것이다.

14 It is ______________ to take a walk with my dog.
나의 개를 데리고 산책을 하는 것은 어렵다.

15 We ______________ many things from our mistakes.
우리는 실수에서 많은 것들을 배운다.

C 설명하는 단어를 [보기]에서 골라 쓰시오.

보기	gun	index	battle	unique	temperature

16 a fight between armed forces ______________

17 a measure of how hot or cold it is ______________

18 a weapon that you fire bullets out of ______________

19 special and being the only one of its kind ______________

20 a collection of information in alphabetical order ______________

MP3 파일을 들으면서 단어를 따라 읽어보세요.

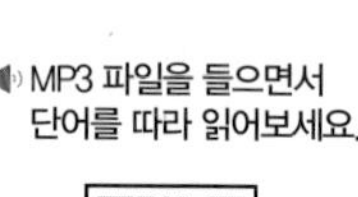

706 **anxious** [ǽŋkʃəs]

형 걱정하는 (= worried); 열망하는

I'm **anxious** about his health.
나는 그의 건강이 ______.

+ anxiously 부 걱정하여
anxiety 명 불안

707 **tongue** [tʌŋ]

명 혀 ; 언어 (= language)

My **tongue** burns when I eat red peppers.
고추를 먹으면 나는 ______가 얼얼하다.

708 **awake** [əwéik]

awake – awoke – awaken

동 깨우다
형 깨어 있는

A baby's cry **awoke** me from my sleep.
아기의 울음소리가 나를 ______.

709 **within**
[wiðín]

전 … 이내에

You must return the book **within** a week.
너는 일주일 ______ 그 책을 반납해야 한다.

710 **benefit**
[bénəfit]

명 이익 (= advantage), 이로움

He works for public **benefit**.
그는 공공의 ______ 을 위해 일한다.

+ beneficial 형 이로운
↔ harm 명 손해

711 **till**
[til]

전 …까지 (= until)

The show will be open **till** next Saturday.
그 쇼는 다음 주 토요일 ______ 공연될 것이다.

712 **swim**
[swim]

swim – swam – swum

동 수영하다
명 수영

I don't **swim** in deep water.
나는 깊은 물에서는 ______ 않는다.

713 **frame**
[freim]

window frame
창틀

명 틀, 액자

I fixed the picture in a **frame**.
나는 사진을 ______ 에 끼웠다.

발음주의

714 **bury**
[béri]

동 묻다, 매장하다

The man **buried** the treasure.
그 남자는 보물을 땅 속에 ______.

+ burial 명 매장

Day 48

715 **gentle**
[dʒéntl]

형 온화한 (= mild); 정중한 (= polite)

A **gentle** west wind blew all day.
_____ 서풍이 하루 종일 불었다.

+ gently 부 상냥하게

716 **cotton**
[kátn]

cotton candy
솜사탕

명 솜, 면화
형 면의

Clothes made from **cotton** are good for your health.
_____ 으로 만들어진 옷이 건강에 좋다.

717 **indeed**
[indí:d]

부 정말로 (= really)

A friend in need is a friend **indeed**.
어려울 때 곁에 있는 친구가 _____ 친구이다.

718 **give off**

내뿜다

This desk lamp **gives off** a lot of light.
이 책상용 램프는 많은 빛을 _____.

719 **feel sorry for**

…을 안타까워하다

He **felt sorry for** my misfortune.
그는 나의 불행을 _____.

720 **hold on**

(전화상에서) 기다리다 (= wait for)

A: May I speak to John?
B: **Hold on**, please.
A: John 좀 바꿔 주세요.
B: 잠시만 _____.

Get More anxious about *vs.* anxious for

1 **anxious about** (…이) 걱정스러운
I'm **anxious about** his health.
나는 그의 건강이 걱정스럽다.

2 **anxious for** (…을) 열망하는
He is **anxious for** wealth.
그는 부를 갈망하고 있다.

DAY 48 Wrap-up Test

ANSWERS p. 288

A 영어는 우리말로, 우리말은 영어로 쓰시오.

1 within ____________
2 cotton ____________
3 anxious ____________
4 frame ____________
5 give off ____________
6 깨우다, 깨어 있는 ____________
7 수영하다, 수영 ____________
8 …을 안타까워하다 ____________
9 묻다, 매장하다 ____________
10 (전화상에서) 기다리다 ____________

B 빈칸에 알맞은 단어를 [보기]에서 골라 쓰시오. (필요시 형태를 고칠 것)

보기	benefit	bury	till	gentle	tongue

11 He has a ____________ voice.
그는 부드러운 목소리를 가지고 있다.

12 He bit his ____________ by mistake.
그는 실수로 자신의 혀를 깨물었다.

13 He didn't come ____________ 10 o'clock.
그는 10시까지 오지 않았다.

14 Koreans ____________ a kimchi jar in the ground.
한국인들은 김칫독을 땅에 묻는다.

15 Learning foreign languages gives us a lot of ____________.
외국어를 배우는 것은 우리에게 많은 이점들을 준다.

C 설명하는 단어를 [보기]에서 골라 쓰시오.

보기	gentle	anxious	benefit	frame	within

16 very worried about something ____________
17 kind and careful and not to upset anyone ____________
18 a helpful or good effect ____________
19 before a certain period of time has passed ____________
20 a structure that surrounds something such as a picture or window ____________

MP3 파일을 들으면서 단어를 따라 읽어보세요.

721 **needle**
[ní:dl]

명 바늘
동 바늘로 꿰매다

the eye of a **needle**
구멍

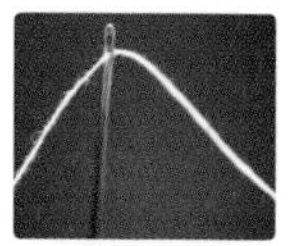

needle and thread
바늘과 실

강세주의

722 **economic**
[è:kənάmik]

형 경제의

The country is in a bad **economic** state.
그 나라는 나쁜 상황에 처해 있다.

+ economy 명 경제
economical 형 경제적인

발음주의

723 **technology**
[teknάlədʒi]

명 기술

energy-saving **technology**
에너지 절약

+ technological 형 과학 기술의

724 **alike**
□□
[əláik]

형 (서로) 같은 (= same)

They are alike in character.
그들은 성격이 ______.

↔ different 형 다른

725 **furniture**
□□
[fə́:rnitʃər]

antique furniture
골동품 가구

명 가구

The furniture would take up a lot of space.
그 ______는 많은 공간을 차지할 것이다.

726 **ignore**
□□
[ignɔ́:r]

동 무시하다

He completely ignored their opinions.
그는 그들의 의견을 완전히 ______.

+ ignorance 명 무시

727 **bite**
□□
[bait]

bite – bit – bitten

동 물다
명 한 입

The dog bit my right leg.
그 개가 내 오른쪽 다리를 ______.

728 **flow**
□□
[flou]

동 흐르다

The river flows into the sea.
강은 바다로 ______.

729 **tube**
□□
[tju:b]

명 관(管), 통

She's holding up a test tube.
그녀는 시험 ______을 들고 있다.

730 □□ **control** [kəntróul]

remote control
리모컨

동 통제하다
명 통제

Try to **control** yourself.
너 자신을 ______ 노력해라.

731 □□ **beyond** [bijɑ́nd]

전 … 너머에
부 저편

Don't go **beyond** the hill.
저 언덕 ______ 가지 마라.

732 □□ **force** [fɔːrs]

동 강요하다
명 힘 (= power)

He **forced** me to agree with his opinion.
그는 자신의 의견에 동의하라고 나에게 ______.

733 □□ **for a while**

잠시 동안 (= for a moment)

Let's take a rest **for a while**.
______ 쉽시다.

734 □□ **cut out**

잘라 내다

I **cut out** the heart-shape from the cardboard.
나는 마분지에서 하트 모양을 ______.

735 □□ **graduate from**

…을 졸업하다

When did you **graduate from** university?
너는 언제 대학을 ______?

Get More force의 다양한 뜻

1 명 힘, 폭력
by **force** and arms
무력과 폭력에 의하여

2 명 군대, 군사력
the air **force**
공군

DAY 49

Wrap-up Test

ANSWERS p. 288

A 영어는 우리말로, 우리말은 영어로 쓰시오.

1	flow	___________	6	강요하다, 힘	___________
2	alike	___________	7	… 너머에, 저편	___________
3	tube	___________	8	잘라 내다	___________
4	economic	___________	9	무시하다	___________
5	graduate from	___________	10	잠시 동안	___________

B 빈칸에 알맞은 단어를 [보기]에서 골라 쓰시오. (필요시 형태를 고칠 것)

보기 needle technology furniture bite control

11 It is not easy to pick up a ___________.
바늘을 집는 것은 쉽지 않다.

12 The warehouse was full of ___________.
그 창고는 가구로 가득 차 있었다.

13 Media could ___________ our point of view.
미디어는 우리의 생각을 통제할 수도 있다.

14 The system uses the most advanced computer ___________.
그 시스템은 최첨단 컴퓨터 기술을 사용한다.

15 My cat sometimes ___________ my fingers, but it doesn't hurt.
고양이가 가끔 손가락을 물기도 하지만, 아프지는 않다.

C 설명하는 단어를 [보기]에서 골라 쓰시오.

보기 beyond flow tube ignore force

16 on or to the further side of something ___________

17 to intentionally not listen or give attention to something ___________

18 physical, often violent, strength or power ___________

19 to move in one direction, continuously and easily ___________

20 a long empty cylinder made of plastic, metal, rubber or glass ___________

MP3 파일을 들으면서 단어를 따라 읽어보세요.

736 □□ **thumb** [θʌm]

명 엄지손가락

The baby is sucking his **thumb**.

그 아기는 ______ 을 빨고 있다.

737 □□ **worth** [wəːrθ]

형 …의 가치가 있는 (= valuable)

This used car is **worth** $800.

이 중고차는 800달러의 ______.

+ worthy 형 가치 있는

↔ worthless 형 가치 없는

738 □□ **disappoint** [dìsəpɔ́int]

동 실망시키다

His lecture **disappointed** us.

그의 강연은 우리를 ______.

+ disappointment 명 실망

disappointed 형 실망한

739 **edit**
[édit]

동 편집하다

Can you **edit** this article for me?
저를 위해 이 사설을 ______ 해 주실래요?

+ editor 명 편집자

740 **compose**
[kəmpóuz]

com[together]+pose[put]
함께 배치하다 → 구성하다

동 구성하다

Plants and animals **compose** ecosystems.
식물과 동물이 생태계를 ______.

+ composition 명 구성, 작문

741 **sound**
[saund]

명 소리
동 …하게 들리다

I love the **sound** of the cello.
나는 첼로 ______ 를 무척 좋아한다.

742 **hardly**
[hɑ́ːrdli]

부 거의 …않다 (= seldom, rarely)

I could **hardly** hear her.
나는 그녀의 말을 거의 알아 들을 수 ______.

↔ always 부 항상

743 **breath**
[breθ]

명 숨, 호흡

She took a long **breath**.
그녀는 긴 ______ 을 쉬었다.

+ breathe 동 호흡하다

744 **appoint**
[əpɔ́int]

동 지목하다, 정하다

He **appointed** me to do the mission.
그는 그 임무를 수행하도록 나를 ______.

+ appointment 명 임명, 약속

Day 50

발음주의

745 □□ **flood** [flʌd]

명 홍수

The **flood** made a lot of people homeless.
그 ______는 많은 사람들을 노숙자로 만들었다.

↔ drought 명 가뭄

746 □□ **dust** [dʌst]

명 먼지 (= dirt)

Dust snowed on my head.
______가 내 머리 위로 쏟아졌다.

✚ dusty 형 먼지투성이의
duster 명 먼지떨이

747 □□ **beside** [bisáid]

전 … 옆에 (= next to)

He sat **beside** me.
그는 내 ______ 앉았다.

748 □□ **drive away**

…을 쫓아버리다

He **drove away** the thief.
그는 도둑을 ______.

749 □□ **get on**

(탈 것에) 타다

I **got on** the bus.
나는 버스를 ______.

↔ get off (탈 것에서) 내리다

750 □□ **for the first time**

처음으로

I showed him my picture **for the first time**.
나는 그에게 내 사진을 ______ 보여 주었다.

↔ for the last time 마지막으로

Get More compose의 다양한 뜻

1 동 구성하다
Facts alone do not **compose** a book.
사실만으로 책이 되는 것은 아니다.

2 동 작곡하다
He **composed** a piano concerto before he died.
그는 죽기 전에 피아노 협주곡을 작곡했다.

DAY 50 Wrap-up Test

ANSWERS p. 288

A 영어는 우리말로, 우리말은 영어로 쓰시오.

1	disappoint	________	6	거의 …않다	________
2	thumb	________	7	지목하다, 정하다	________
3	compose	________	8	… 옆에	________
4	breath	________	9	처음으로	________
5	drive away	________	10	(탈 것에) 타다	________

B 빈칸에 알맞은 단어를 [보기]에서 골라 쓰시오. (필요시 형태를 고칠 것)

보기	edit	sound	flood	dust	worth

11 This hat is ________ 15 dollars.
이 모자는 15달러의 가치가 있다.

12 Thick ________ laid on the desk.
두꺼운 먼지가 책상 위에 쌓여 있었다.

13 The ________ broke down the bridge.
홍수로 다리가 무너졌다.

14 ________ travels more slowly than light.
소리는 빛보다 더 느리게 이동한다.

15 We ________ a new textbook every five years.
우리는 5년마다 새 교과서를 편집한다.

C 설명하는 단어를 [보기]에서 골라 쓰시오.

보기	breath	beside	appoint	thumb	hardly

16 at the side of or next to ________

17 almost not, or only a very small amount ________

18 the air that comes in and out of your lungs ________

19 the short thick finger on the side of your hand ________

20 to choose someone officially for a job or task ________

DAY 46~50 Review Test

ANSWERS p. 288

다음 우리말에 맞게 빈칸에 주어진 철자로 시작하는 단어를 쓰시오.

DAY 46

1 통장 — a b________ book
2 북반구 — the n________ hemisphere
3 핵연료 — nuclear f________
4 사형 선고 — a d________ sentence
5 별거하다 — live a________
6 광우병 — m________ cow disease

DAY 47

7 상온 — room t________
8 질긴 고기 — t________ meat
9 검지 손가락 — a i________ finger
10 2인용 침대 — a d________ bed
11 총을 쏘다 — fire a g________
12 전투에서 지다 — lose the b________

DAY 48

13 모국어 — a mother t________
14 공익 — the public b________
15 산들바람 — a g________ breeze
16 면봉 — a c________ bud
17 액자, 사진틀 — a picture f________
18 걱정스러운 표정 — an a________ look

DAY 49

19 경제 발달 — e________ development
20 컴퓨터 기술 — computer t________
21 가구 좀벌레 — f________ beetle
22 모기 물린 곳 — a mosquito b________
23 시험관 — a test t________
24 공군 — the air f________

DAY 50

25 책을 편집하다 — e________ a book
26 홍수 방벽 — f________ wall
27 시를 짓다 — c________ a poem
28 호흡하다 — take a b________
29 소리 없이 — without a s________
30 엄지 손톱 — a t________ nail

놓치기 쉬운
어휘 챙기기

Day 51~60

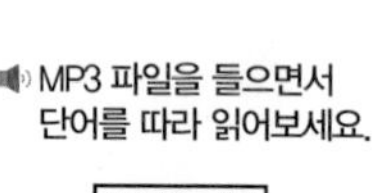

MP3 파일을 들으면서
단어를 따라 읽어보세요.

751 □□ **probably** [prάbəbli]

부 아마도 (= perhaps)

She will **probably** come.

그녀는 ______ 올 것이다.

+ probable 형 있을 것 같은

752 □□ **line** [lain]

명 선, 끈 (= string)

I can cut along the **line**.

나는 그 ______을 따라 자를 수 있다.

central line
중앙선

753 □□ **trend** [trend]

명 유행, 경향

Women follow the latest **trends** in fashion.

여성들은 패션의 최신 ______을 따른다.

+ trendy 형 최신 유행의

754 ☐☐ **universe** [jú:nəvə̀:rs]

명 우주 (= cosmos)

The Earth is a small part of the **universe**.
지구는 ______ 의 작은 부분이다.

+ universal 형 우주의

755 ☐☐ **deep** [di:p]

형 깊은
부 깊게

Don't go in the **deep** water.
______ 물에는 들어가지 마라.

+ deeply 부 깊이, 몹시
depth 명 깊이
↔ shallow 형 얕은

756 ☐☐ **plain** [plein]

형 명백한, 쉬운 (= easy)
명 초원

The **plain** truth is that I want to go.
______ 사실은 내가 떠나기를 원한다는 것이다.

757 ☐☐ **ache** [eik]

headache
두통

명 통증, 아픔
동 아프다 (= hurt)

She felt an **ache** in her shoulder.
그녀는 어깨에 ______ 을 느꼈다.

발음주의

758 ☐☐ **exist** [igzíst]

동 존재하다

Man cannot **exist** without air.
인간은 공기 없이는 ______ 수 없다.

+ existence 명 존재

759 ☐☐ **crash** [kræʃ]

car crash
교통사고

동 충돌하다
명 추락, 충돌

A dump truck **crashed** into our train.
덤프 트럭이 우리 기차와 ______.

Day 51

철자주의

760 **heaven** [hévən]

명 하늘 (= sky), 천국

Heaven helps those who help themselves.
□□□□은 스스로 돕는 자를 돕는다.

↔ hell 명 지옥

761 **brand** [brænd]

명 상표

What brands do they like?
그들은 어떤 □□□□를 선호하는가?

762 **dirty** [də́ːrti]

형 더러운 (= unclean)

I washed my dirty hands.
나는 □□□□ 손을 씻었다.

↔ clean 형 깨끗한

763 **get to**

…에 도착하다 (= arrive at)

How can I get to the post office?
우체국에 어떻게 □□□□?

764 **do the dishes**

설거지하다 (= wash the dishes)

My father sometimes does the dishes for my mother.
아버지는 어머니를 위해서 종종 □□□□.

765 **from time to time**

때때로 (= sometimes)

Such things happen from time to time.
□□□□ 그런 일들이 일어난다.

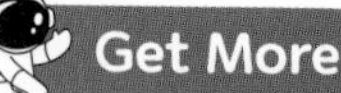

Get More plain의 다양한 뜻

1 형 쉬운, 평이한
It was not a **plain** problem.
그것은 쉬운 문제가 아니었다.

2 명 초원
I traveled across the western **plains**.
나는 서부 초원을 가로질러 여행을 했다.

DAY 51 Wrap-up Test

✎ ANSWERS p. 289

A 영어는 우리말로, 우리말은 영어로 쓰시오.

1 exist ____________
2 ache ____________
3 probably ____________
4 brand ____________
5 do the dishes ____________
6 유행, 경향 ____________
7 때때로 ____________
8 하늘, 천국 ____________
9 …에 도착하다 ____________
10 충돌하다, 추락, 충돌 ____________

B 빈칸에 알맞은 단어를 [보기]에서 골라 쓰시오. (필요시 형태를 고칠 것)

보기	deep	line	universe	plain	dirty

11 Her talk was really ____________.
그녀의 말은 너무나 명백했다.

12 I took off my ____________ clothes.
나는 더러운 옷을 벗었다.

13 She drew a ____________ on the ground.
그녀는 땅에 선을 그었다.

14 I don't know how ____________ the lake is.
나는 그 호수가 얼마나 깊은지 모른다.

15 The sun isn't the biggest star in the ____________.
태양이 우주에서 가장 큰 별은 아니다.

C 괄호 안의 지시에 맞는 단어를 골라 ✓표시를 하시오.

16 line (유의어) □ strong □ string
17 ache (유의어) □ heart □ hurt
18 deep (반의어) □ shallow □ swallow
19 heaven (반의어) □ hell □ hall
20 probably (유의어) □ perhaps □ should

MP3 파일을 들으면서 단어를 따라 읽어보세요.

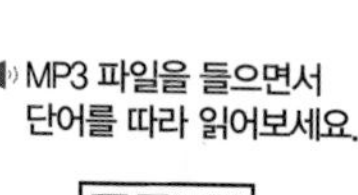

766 □□ **transfer** [trænsfə́:r]

통 옮기다 (= move)

I **transferred** the food to the plate.
나는 음식을 접시에 ______.

+ transference 명 옮김, 이전

767 □□ **compare** [kəmpɛ́ər]

통 비교하다

My teacher **compared** Tom's report with mine.
선생님은 Tom의 보고서와 내 보고서를 ______.

+ comparative 형 비교의
comparison 명 비교

768 □□ **wire** [wáiər]

wire brush
철수세미

명 철사; 전선 (= cable)

He coiled a **wire** around a stick.
그는 막대기에 ______를 돌돌 감았다.

철자주의

769 **awful**
[ɔ́:fəl]

형 끔찍한 (= terrible)

This soup tastes **awful**.
이 스프 맛은 ______ 하다.

↔ wonderful 형 멋진

770 **figure**
[fígjər]

명 형태; 숫자 (= number)

He folded the colored paper into the **figure** of a flower.
그는 색종이를 꽃의 ______ 로 접었다.

771 **deaf**
[def]

형 귀머거리의, 귀가 먼

He pretended to be **deaf**.
그는 ______ 척 했다.

772 **grain**
[grein]

명 곡물 (= cereal)

Rice is a kind of **grain**.
쌀은 ______ 의 한 종류이다.

773 **instrument**
[ínstrəmənt]

명 기계, 도구 (= tool)

He showed me how to use the **instrument**.
그는 그 ______ 를 어떻게 사용하는지 보여주었다.

+ instrumental 형 기계의

774 **bother**
[báðər]

동 괴롭히다, 성가시게 하다

Please don't **bother** me when I read a book.
내가 책을 읽을 때는 ______ 말아줘.

+ bothersome 형 성가신

발음주의

775 **edge**
[edʒ]

명 가장자리

Don't go too near the **edge** of the cliff.
절벽의 ______로 너무 가까이 가지 마라.

776 **court**
[kɔːrt]

tennis court
테니스 경기장

명 경기장, 뜰; 법원

They were practicing on the **court**.
그들은 ______에서 연습하고 있었다.

777 **sorrow**
[sɔ́rou]

명 슬픔

Time heals all **sorrows**.
시간은 모든 ______을 치유한다.

➕ sorrowful 형 슬퍼하는
↔ joy 명 기쁨

778 **fall behind**

뒤쳐지다

If you **fall behind** in your studies, you should try harder.
만약 너의 성적이 ______, 더 열심히 노력해야 한다.

779 **for sale**

팔려고 내 놓은

The furniture is not **for sale**.
그 가구는 ______ 것이 아니다.

780 **get hurt**

다치다

Little boys often fight and **get hurt**.
어린 소년들은 종종 싸우고 ______.

Get More court의 다양한 뜻

1 명 경기장
The ball is on the volleyball **court**.
공이 배구 경기장 안에 있다.

2 명 법원
The **court** judged him guilty.
법원은 그에게 유죄판결을 내렸다.

DAY 52 Wrap-up Test

ANSWERS p. 289

A 영어는 우리말로, 우리말은 영어로 쓰시오.

1 figure ___________
2 grain ___________
3 get hurt ___________
4 fall behind ___________
5 instrument ___________
6 경기장, 뜰 ___________
7 괴롭히다, 성가시게 하다 ___________
8 가장자리 ___________
9 철사, 전선 ___________
10 팔려고 내 놓은 ___________

B 빈칸에 알맞은 단어를 [보기]에서 골라 쓰시오. (필요시 형태를 고칠 것)

보기	compare	sorrow	transfer	awful	deaf

11 The cheap food smelled ___________.
그 값이 싼 음식에서 고약한 냄새가 났다.

12 Don't ___________ yourself with others.
네 자신을 다른 사람과 비교하지 마라.

13 He lost his mind from great ___________.
그는 큰 슬픔으로 정신을 잃고 말았다.

14 She was later ___________ to a different hospital.
그녀는 나중에 다른 병원으로 옮겨졌다.

15 ___________ people can do the same things as other people.
귀가 들리지 않는 사람들도 다른 사람들과 같은 일들을 할 수 있다.

C 설명에 맞는 단어를 찾아 선으로 연결하시오.

16 wire •
17 edge •
18 court •
19 figure •
20 instrument •

• ⓐ a long, thin piece of metal thread
• ⓑ an area for playing a particular sport
• ⓒ the part that is furthest from the center
• ⓓ the form or outline of something
• ⓔ a tool for doing a particular work

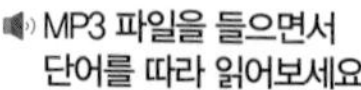

781 **rather** [rǽðər]

부 차라리, 오히려

I would **rather** be punished than lie.

거짓말을 할 바엔 ______ 벌을 받겠다.

발음주의

782 **rub** [rʌb]

동 문지르다

She **rubbed** the table with a cloth.

그녀는 천으로 테이블을 ______.

783 **limit** [límit]

명 한계

There is a **limit** to everything.

모든 것에는 ______가 있기 마련이다.

+ limited 형 제한된, 한정된

speed limit
제한 속도

784 **strike**
[straik]

strike – struck – struck

동 치다 (= hit)
명 파업

He **struck** his fist on the table.
그는 주먹으로 탁자를 ______.

785 **effort**
[éfərt]

명 노력

In spite of his **efforts**, he failed.
그의 ______에도 불구하고, 그는 실패했다.

786 **swallow**
[swálou]

동 삼키다

My brother **swallowed** a toy robot's arm.
내 남동생이 장난감 로봇 팔을 ______.

787 **corner**
[kɔ́ːrnər]

명 모퉁이, 구석

Turn right at the second **corner**.
두 번째 ______에서 오른쪽으로 도세요.

788 **scale**
[skéil]

명 저울

She weighed the fish on the **scale**.
그녀는 ______로 생선의 무게를 달아보았다.

789 **track**
[træk]

cycling track
자전거 경주

명 흔적; 경주로
동 추적하다

I found tire **tracks** in the street.
나는 거리에서 바퀴 ______을 발견했다.

790 **pray**
[prei]

통 기도하다

He prayed for courage.
그는 용기를 달라고 ______.

+ prayer 명 기도; 기도하는 사람

791 **skill**
[skil]

명 기술 (= technique), 요령

There are four skills for reading.
독서에는 네 가지 ______이 있다.

+ skillful 형 숙련된

철자주의

792 **success**
[səksés]

명 성공

Diligence makes success.
근면함이 ______을 만든다.

+ successful 형 성공적인
succeed 동 성공하다
↔ failure 명 실패

793 **instead of**

… 대신에

Instead of water, I drank a cup of coffee.
물 ______, 나는 커피 한 잔을 마셨다.

794 **turn off**

끄다

Mother told me to turn off the TV.
어머니가 나에게 TV를 ______고 말씀하셨다.

↔ turn on 켜다

795 **worry about**

…에 대해 걱정하다 (= be anxious about)

Don't worry about your future.
너의 미래에 대해 ______ 마라.

Get More strike의 다양한 뜻

1 통 치다
Strike the ball with the bat.
공을 배트로 쳐라.

2 명 파업
The **strike** is still on.
파업은 아직 계속되고 있다.

Wrap-up Test

ANSWERS p. 289

A 영어는 우리말로, 우리말은 영어로 쓰시오.

1	scale	__________	6	흔적, 경주로, 추적하다	__________
2	strike	__________	7	모퉁이, 구석	__________
3	turn off	__________	8	한계	__________
4	rather	__________	9	…에 대해 걱정하다	__________
5	swallow	__________	10	… 대신에	__________

B 빈칸에 알맞은 단어를 [보기]에서 골라 쓰시오. (필요시 형태를 고칠 것)

보기	pray	effort	rub	skill	success

11 My mother always __________ for me.
나의 어머니는 항상 나를 위해 기도하신다.

12 Their __________ will never disappear.
그들의 노력은 결코 사라지지 않을 것이다.

13 __________ depends on your diligence.
성공은 당신의 성실함에 달려 있다.

14 She __________ the window with a cloth.
그녀는 천으로 창문을 문질렀다.

15 Modern society requires various __________.
현대 사회는 다양한 기술들을 요구한다.

C 설명하는 단어를 [보기]에서 골라 쓰시오.

보기	scale	swallow	strike	limit	corner

16 to hit or attack someone or something __________
17 an instrument for weighing something __________
18 the place where two roads or lines meet __________
19 the greatest level that is possible or allowed __________
20 to make food or drink go down your throat __________

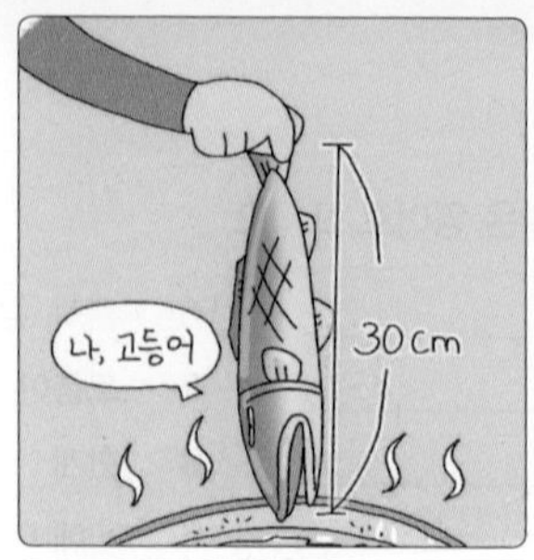

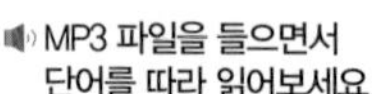

---

796 □□ **raw** [rɔː]

raw material
원자재

형 날것의, 가공하지 않은

Don't drink raw milk.
______ 우유는 마시지 마라.

↔ cooked 형 요리된

---

797 □□ **use** [juːz]

동 사용하다

You can use my eraser.
너는 내 지우개를 ______ 된다.

+ usage 명 쓰임
useful 형 유용한

발음주의

798 □□ **shore** [ʃɔːr]

명 해안 (= coast)

The boat reached the shore.
배가 ______에 닿았다.

799 **length**
[leŋkθ]

명 길이

This river has a **length** of 50 kilometers.
이 강은 ______ 가 50킬로미터이다.

+ long 형 긴

800 **spray**
[sprei]

동 (분무기로) 뿌리다
명 분무기

She **sprays** water with a hose.
그녀는 호스로 물을 ______.

801 **section**
[sékʃən]

명 부분 (= part), 구역 (= area); (회사의) 부서

We sat in the smoking **section**.
우리는 흡연 ______ 에 앉았다.

802 **plenty**
[plénti]

명 풍부함, 충분

Don't hurry. There's **plenty** of time.
서두르지 마. ______ 한 시간이 있어.

+ plentiful 형 풍부한

803 **youth**
[ju:θ]

명 젊음; 젊은이

Youth never comes back.
______ 은 결코 다시 돌아오지 않는다.

+ young 형 젊은

804 **speed**
[spi:d]

speed gun
속도 측정기

명 속도

You must reduce your **speed**.
당신은 ______ 를 줄여야만 합니다.

+ speedy 형 빠른

Day 54

805 □□ **kingdom** [kíŋdəm]

명 왕국

A king or queen rules a **kingdom**.
왕 또는 여왕이 ______ 을 지배한다.

철자주의

806 □□ **mystery** [místəri]

명 신비, 수수께끼

She is always wrapped in a **mystery**.
그녀는 항상 ______ 에 싸여 있다.

➕ mysterious 형 신비로운

807 □□ **soil** [sɔil]

명 토양, 땅

Most plants grow best in rich **soil**.
대부분의 식물들은 비옥한 ______ 에서 가장 잘 자란다.

808 □□ **one another**

(3인 이상) 서로 서로

They are shaking hands and greeting **one another**.
그들은 악수하면서 ______ 인사하고 있다.

809 □□ **in common**

공통의

He and I have one topic **in common**.
그와 나는 한 가지 ______ 화제를 가지고 있다.

810 □□ **smile at**

…에 미소 짓다

The baby **smiled at** its mother.
아기가 엄마에게 ______.

Get More section의 다양한 뜻

1 명 구역
Please smoke in the smoking **section**.
흡연 구역에서 담배를 피워주시기 바랍니다.

2 명 (회사의) 부서
What **section** do you want to work in?
어느 부서에서 일하고 싶습니까?

DAY 54 Wrap-up Test

ANSWERS p. 289

A 영어는 우리말로, 우리말은 영어로 쓰시오.

1 youth ____________
2 kingdom ____________
3 length ____________
4 spray ____________
5 in common ____________
6 토양, 땅 ____________
7 사용하다 ____________
8 …에 미소 짓다 ____________
9 부분, 구역 ____________
10 (3인 이상) 서로 서로 ____________

B 빈칸에 알맞은 단어를 [보기]에서 골라 쓰시오. (필요시 형태를 고칠 것)

보기	shore	speed	raw	plenty	mystery

11 We walked along the ____________.
우리는 해인가를 따라 걸었다.

12 It is a ____________ that such a lazy man succeeded.
그렇게 게으른 사람이 성공했다는 것은 풀리지 않는 수수께끼이다.

13 I have ____________ of knowledge about the universe.
나는 우주에 대한 풍부한 지식을 가지고 있다.

14 Don't eat ____________ meat or you will get a stomachache.
날고기를 먹지 마. 그렇지 않으면 배가 아플 거야.

15 ____________ is not important, but direction is important.
속도가 중요한 것이 아니라 방향이 중요한 것이다.

C 설명하는 단어를 [보기]에서 골라 쓰시오.

보기	length	youth	soil	spray	section

16 the top layer of the earth that plants grow in ____________
17 the distance from one side to the other side ____________
18 the period of life when someone is young ____________
19 one of the parts that something is divided into ____________
20 to force liquid out of a container in small drops under pressure ____________

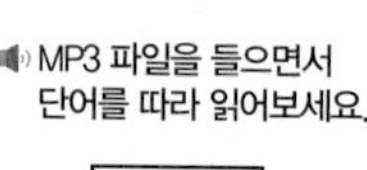

MP3 파일을 들으면서
단어를 따라 읽어보세요.

---

811 □□ **row**
[rou]

명 줄, 열
동 (배를) 젓다

People stand in a **row**.
사람들이 한 ______ 로 서 있다.

---

812 □□ **society**
[səsáiəti]

명 사회

Literature is a mirror of **society**.
문학은 ______ 를 비추는 거울이다.

+ social 형 사회적인

---

813 □□ **narrow**
[nǽrou]

형 좁은
동 좁히다

He has a **narrow** forehead.
그는 ______ 이마를 가졌다.

+ narrowly 부 좁게
↔ wide 형 넓은

narrow path
좁은 길

철자주의

814 **knowledge**
[nálidʒ]

명 지식

Knowledge is power.
　　　이 힘이다.

+ know 동 알다

815 **provide**
[prəváid]

동 제공하다 (= supply, offer)

The river provides us with drinking water.
그 강은 우리에게 식수를 　　　.

발음주의

816 **sour**
[sáuər]

형 (맛이) 신

Lemons taste sour.
레몬은 　　　 맛이 난다.

817 **passenger**
[pǽsəndʒər]

명 승객

There were few passengers in the train.
기차에는 　　　 이 거의 없었다.

818 **punish**
[pʌ́niʃ]

capital punishment
사형

동 벌주다

He punished the students by giving them extra homework.
그는 숙제를 더 주는 것으로 학생들에게 　　　.

+ punishment 명 벌

819 **scientific**
[sàiəntífik]

형 과학적인

Korean is more scientific than English.
한국어는 영어보다 더 　　　 이다.

+ science 명 과학
scientist 명 과학자

820 **stuff**
[stʌf]

명 물건
동 …을 채워 넣다

The garage was full of old **stuff**.
차고는 오래된 ______ 들로 가득 차 있었다.

821 **root**
[ruːt]

root vegetables
뿌리 채소

명 뿌리; 근원 (= source)

The **roots** of plants grow in the earth.
식물의 ______ 는 땅 속에서 자란다.

철자주의

822 **niece**
[niːs]

명 (여) 조카

Ann is his **niece**.
Ann은 그의 ______ 이다.

➕ nephew 명 (남) 조카

823 **keep in touch**

연락하다

I hope we can **keep in touch**.
나는 우리가 ______ 지낼 수 있으면 좋겠어요.

824 **make up**

구성하다 (= compose)

Thousands of tropical islands **make up** Indonesia.
수천 개의 열대섬들이 인도네시아를 ______.

825 **yell at**

…에 소리지르다 (= shout at)

She **yelled at** him to go away.
그녀는 그에게 가라고 ______.

Get More stuff의 다양한 뜻

1 명 물건
Don't forget to take your **stuff**.
네 소지품을 챙기는 것을 잊지 마라.

2 동 …을 채워 넣다
I **stuffed** my ears with cotton.
나는 솜으로 귀를 틀어막았다.

DAY 55 Wrap-up Test

ANSWERS p. 290

A 영어는 우리말로, 우리말은 영어로 쓰시오.

1 passenger ____________
2 row ____________
3 niece ____________
4 root ____________
5 scientific ____________
6 벌주다 ____________
7 …을 채워 넣다, 물건 ____________
8 구성하다 ____________
9 …에 소리지르다 ____________
10 연락하다 ____________

B 빈칸에 알맞은 단어를 [보기]에서 골라 쓰시오. (필요시 형태를 고칠 것)

보기	society	narrow	provide	knowledge	sour

11 I don't like ____________ food.
나는 신 음식을 좋아하지 않는다.

12 Every ____________ needs a hero.
모든 사회는 영웅을 필요로 한다.

13 The hotel ____________ good meals.
그 호텔은 좋은 식사를 제공한다.

14 He ____________ the book list to search for.
그는 찾아야 할 책의 목록을 줄였다.

15 Your ____________ of a foreign language will help you in your career.
당신의 외국어 지식은 경력에 도움이 될 것이다.

C 설명하는 단어를 [보기]에서 골라 쓰시오.

보기	row	root	passenger	punish	niece

16 a straight line of people or things ____________
17 the daughter of your brothers and sisters ____________
18 someone who is traveling in a vehicle ____________
19 the part of a plant that gets water and food from the soil ____________
20 to give someone a penalty for bad behaviors or words ____________

DAY 51~55 Review Test

✎ ANSWERS p. 290

다음 우리말에 맞게 빈칸에 주어진 철자로 시작하는 단어를 쓰시오.

DAY 51

1 최신 유행 — the latest t________
2 쉬운 말 — p________ words
3 계속되는 통증 — a steady a________
4 깊은 슬픔 — d________ sorrow
5 상표명 — a b________ name
6 승천하다, 죽다 — go to h________

DAY 52

7 운송회사 — a t________ company
8 유선방송 — w________ broadcasting
9 귀머거리 — a d________ person
10 (자동차의) 계기판 — i________ board
11 날카로운 모서리 — a sharp e________
12 실내 경기장 — an indoor c________

DAY 53

13 실용적인 기술 — a practical s________
14 노력하다 — make an e________
15 용수철 저울 — a spring s________
16 연령 제한 — an age l________
17 영국 — the United K________
18 성공담 — a s________ story

DAY 54

19 전속력으로 — at full s________
20 해안선 — the s________ line
21 추리 소설 — a m________ story
22 스포츠면 — the sports s________
23 원자재 — r________ materials
24 산성 토양 — acid s________

DAY 55

25 노령화 사회 — aging s________
26 앞줄 — the front r________
27 뿌리를 내리다 — take r________
28 지식 산업 — the k________ industry
29 (기차의) 객차 — a p________ car
30 과학적 방법 — the s________ method

기본 전치사 09 by

전치사 살펴보기

전치사 by는 기본적으로 '…에 의해, …옆에'라는 뜻을 갖고 있습니다.

동작의 주체 (…에 의해)	위치 (… 옆에)
by me 나에 의해	**by** me 내 옆에
by a dog 개에 의해	**by** the door 문 옆에
by Picasso 피카소에 의해	**by** the sea 바다 옆에
by the boy 그 소년에 의해	**by** the chair 의자 옆에
by J.K. Rowling J.K. Rowling에 의해	**by** the window 창문 옆에

문장 속에서 보는 전치사

Come and sit **by** me. 이리 와서 내 옆에 앉으렴.

She is standing **by** the window. 그녀는 창문 옆에 서 있다.

I left my suitcase **by** the door. 나는 내 여행가방을 문 옆에 놔두었다.

The window was broken **by** the boy. 창문이 그 소년에 의해 깨졌다.

"*Harry Potter*" was written **by** J.K. Rowling.

「해리포터」는 J.K. Rowling에 의해 쓰여졌다.

MP3 파일을 들으면서
단어를 따라 읽어보세요.

826 **structure**

[strʌ́ktʃər]

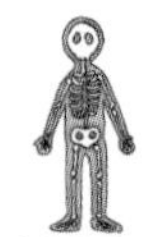

skeletal structure
골격

명 구조(물)

That is an old wood **structure**.
저것은 오래된 목재 　　　　 이다.

+ structural 형 구조상의

827 **practical**

[prǽktikəl]

형 실용적인

This car is not economically **practical**.
이 차는 경제적으로 　　　　 이지 않다.

+ practically 부 실용적으로

828 **native**

[néitiv]

Native American
북미 원주민

형 …에서 태어난, 타고난
명 원주민

He is a **native** of Florida, USA.
그는 미국 플로리다 　　　　 이다.

강세주의

829 **pronounce**
[prənáuns]

동 발음하다

How do you **pronounce** this word?
너는 이 단어를 어떻게 ______?

+ pronunciation 명 발음

830 **warn**
[wɔːrn]

동 경고하다

He **warned** me not to be late.
그는 늦지 말라고 나에게 ______.

+ warning 명 경고

831 **season**
[síːzən]

명 계절

We have four **seasons** in Korea.
한국에는 사______이 있다.

+ seasonal 형 계절의
seasonally 부 계절적으로
in season 제철인

832 **volume**
[váljuːm]

명 부피; (책) 권; 음량

I want to know the **volume** of the gas tank.
나는 가스탱크의 ______를 알고 싶다.

833 **though**
[ðou]

접 비록 …일지라도 (= although, even though)

Though she has many faults, I love her.
______ 그녀에게 결점이 많을지라도, 나는 그녀를 사랑한다.

834 **surround**
[səráund]

동 둘러싸다

The tigers **surrounded** the lamb.
호랑이들이 그 양을 ______.

+ surrounding 형 주위의 명 (pl.) 환경

835 □□ **lock**
[lɑk]

명 잠그다
명 자물쇠

Please lock the door.
문을 ______ 주세요.

836 □□ **perhaps**
[pərhǽps]

부 아마도 (= probably)

Perhaps I misunderstood.
______ 내가 오해했을 것이다.

발음주의

837 □□ **soldier**
[sóuldʒər]

soldier ant
병정개미

명 군인, 병사

My brother is a soldier in Korea.
나의 형은 한국 ______ 이다.

838 □□ **over and over**

되풀이하여 (= again and again)

He is saying it over and over.
그는 그것을 ______ 이야기하고 있다.

839 □□ **pass by**

지나가다

Does the number 261 bus pass by here?
261번 버스가 여기를 ______ ?

840 □□ **try on**

…을 입어 보다

Can I try on these jeans?
이 청바지 한번 ______ 되나요?

Get More volume의 다양한 뜻

1 명 부피, 양
the **volume** of traffic
교통량

2 명 음량
a voice of great **volume**
성량이 풍부한 목소리

DAY 56 Wrap-up Test

ANSWERS p. 290

A 영어는 우리말로, 우리말은 영어로 쓰시오.

1 season ____________
2 native ____________
3 though ____________
4 warn ____________
5 lock ____________
6 부피, (책) 권, 음량 ____________
7 구조, 구조물 ____________
8 …을 입어 보다 ____________
9 되풀이하여 ____________
10 지나가다 ____________

B 빈칸에 알맞은 단어를 [보기]에서 골라 쓰시오. (필요시 형태를 고칠 것)

보기	practical	surround	pronounce	warn	soldier

11 The police ____________ the house.
경찰이 그 집을 둘러쌌다.

12 He ____________ me not to tell a lie.
그는 나에게 거짓말하지 말라고 경고했다.

13 He is the leader of the ____________.
그는 군인들의 통솔자다.

14 You must ____________ this word correctly.
너는 이 단어를 정확하게 발음해야 한다.

15 ____________ tools can make us save our time.
실용적인 도구는 우리가 시간을 절약할 수 있도록 해 준다.

C 설명하는 단어를 [보기]에서 골라 쓰시오.

보기	volume	lock	season	structure	native

16 one of the four periods of the year ____________
17 a person who was born in a certain place ____________
18 a device that is opened with a key ____________
19 the amount of space that is enclosed within a shape ____________
20 the way in which the parts of something are joined together ____________

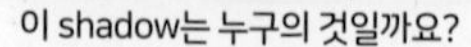

MP3 파일을 들으면서
단어를 따라 읽어보세요.

841 **kick** [kik]

동 걷어차다

The player **kicked** the ball.
그 선수가 공을 ______.

철자주의

842 **nephew** [néfju:]

명 (남) 조카

My **nephew** lives in Busan.
내 ______ 는 부산에 산다.

+ niece 명 (여) 조카

843 **flag** [flæg]

명 깃발

The **flag** is flapping in the wind.
______ 이 바람에 펄럭이고 있다.

national flag of Korea
태극기

844 ☐☐ **sink**

[siŋk]

sink – sank – sunk

sinking ship
침몰 중인 배

동 가라앉다

The ship **sank** in the deep sea.
그 배는 깊은 바다 속에 ______.

+ sinking 명 가라앉음 형 가라앉는
↔ float 동 떠오르다

845 ☐☐ **perform**

[pərfɔ́ːrm]

동 수행하다; 공연하다

They **performed** the play in Seoul.
그들은 서울에서 연극을 ______.

+ performance 명 수행, 공연

846 ☐☐ **frightened**

[fráitnd]

형 겁에 질린 (= scared)

I was **frightened** when I heard the noise.
그 소리를 들었을 때 나는 ______.

+ frighten 동 겁주다
fright 명 공포

847 ☐☐ **strength**

[streŋkθ]

명 힘 (= power)

My **strength** was gone.
나의 ______은 모두 소진되었다.

+ strong 형 힘센

발음주의

848 ☐☐ **various**

[vɛ́əriəs]

형 다양한

We have **various** plants in our garden.
우리 정원에는 ______ 식물이 있다.

+ variety 명 다양성
vary 동 서로 다르다

849 ☐☐ **fog**

[fɔːg]

wet fog
물안개

명 안개

The flight was canceled because of the thick **fog**.
짙은 ______ 때문에 비행기가 취소되었다.

+ foggy 형 안개가 자욱한

Day 57

850 **shadow**

[ʃǽdou]

명 그림자 (= shade)

She is looking at her **shadow**.

그녀는 자신의 ______ 를 보고 있다.

➕ shadowy 형 그림자 같은

851 **male**

[meil]

명 남성

형 남성의

The **male** is usually taller than the female.

대개 ______ 이 여성보다 키가 크다.

↔ female 명 여성 형 여성의

852 **target**

[tɑ́:rgit]

hit the target

표적을 맞히다

명 과녁, 표적

The bullet hit the **target** right in the center.

총알이 ______ 의 한가운데에 맞았다.

853 **take part in**

…에 참여하다 (= join)

We **took part in** the reading club.

우리는 독서클럽에 ______.

854 **shake hands with**

…와 악수하다

I **shook hands with** the politician.

나는 그 정치인과 ______.

855 **write down**

받아 적다

Write down what I say.

내가 말하는 것을 ______.

Get More perform의 다양한 뜻

1 동 수행하다

perform a task

업무를 수행하다

2 동 연기하다

perform before a large audience

많은 관중들 앞에서 연기하다

DAY 57 Wrap-up Test

ANSWERS p. 290

A 영어는 우리말로, 우리말은 영어로 쓰시오.

1	target	______	6	가라앉다	______
2	perform	______	7	안개	______
3	nephew	______	8	…와 악수하다	______
4	strength	______	9	받아 적다	______
5	flag	______	10	…에 참여하다	______

B 빈칸에 알맞은 단어를 [보기]에서 골라 쓰시오. (필요시 형태를 고칠 것)

보기	frightened	shadow	kick	various	male

11 A cock is a ______ chicken.
수탉은 수컷 닭을 의미한다.

12 She ______ him on the knee.
그녀는 그의 무릎을 걷어찼다.

13 He is even afraid of his own ______.
그는 자신의 그림자조차도 두려워한다.

14 The ______ boy couldn't say anything.
그 겁먹은 소년은 아무말도 할 수 없었다.

15 The professor is studying ______ wild animals there.
그 교수는 그곳에서 다양한 야생 동물들을 연구하고 있다.

C 괄호 안의 지시에 맞는 단어를 골라 ✓표시를 하시오.

16	male (반의어)	□ meal	□ female
17	shadow (유의어)	□ shade	□ shake
18	strength (유의어)	□ powder	□ power
19	frightened (유의어)	□ scared	□ surround
20	take part in (유의어)	□ gain	□ join

Day 57

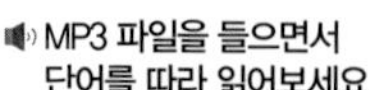
MP3 파일을 들으면서 단어를 따라 읽어보세요.

---

856 □□ **owe** [ou]

㊍ 빚지고 있다

I **owe** a lot of money to her.
나는 그녀에게 많은 돈을 ________.

---

857 □□ **hire** [háiər]

㊍ 고용하다

My mom **hired** a baby-sitter.
우리 엄마는 베이비시터를 ________.

↔ fire ㊍ 해고하다

---

858 □□ **shell** [ʃel]

㊔ (조개 등의) 껍데기

Seashells were used as money before.
조개________는 예전에 돈으로 사용되었다.

seashell
조개껍데기

859 **sweet**
[swiːt]

형 달콤한

The candy tastes **sweet**.
그 사탕은 ______ 맛이 난다.

+ sweets 명 단 것

860 **multiply**
[mʌ́ltəplài]

동 곱하다, 증가시키다 (= increase)

Multiply 2 by 3.
2에 3을 ______.

861 **tension**
[ténʃən]

명 긴장

tension of the muscles
근육의 ______

+ tense 형 긴장한

862 **quarter**
[kwɔ́ːrtər]

명 4분의 1; 15분

A **quarter** of a dollar is 25 cents.
1달러의 ______은 25센트다.

863 **feed**
[fiːd]

동 먹이를 주다
명 먹이

Did you **feed** your dog?
너 강아지에게 ______?

발음주의
864 **rubber**
[rʌ́bər]

rubber band
고무줄

명 고무

The **rubber** stretches.
______는 늘어난다.

865 **silver**
[sílvər]

명 은

Speech is **silver**, silence is gold.
말은 ______ 이요, 침묵은 금이다.

866 **position**
[pəzíʃən]

명 위치 (= location), 지위

Can you find your **position** on this map?
이 지도에서 당신의 ______ 를 찾을 수 있습니까?

867 **silk**
[silk]

명 비단, 실크

Her skin is as smooth as **silk**.
그녀의 피부는 ______ 처럼 부드럽다.

+ silky 형 비단 같은, 부드러운

868 **in that case**

그 경우에는

In that case, I would love to.
______, 나는 좋다.

869 **say hello to**

…에게 안부를 전하다

Please **say hello to** your sister.
너희 언니에게 ______.

870 **thanks to**

… 덕분에

Thanks to you, I could succeed.
당신 ______, 제가 성공할 수 있었습니다.

Get More 주의해야 하는 발음

1 **hire** [hàiər] 동 고용하다
fire [fàiər] 동 해고하다

2 **rubber** [rʌ́bər] 명 고무
lover [lʌ́vər] 명 연인

DAY 58 Wrap-up Test

ANSWERS p. 291

A 영어는 우리말로, 우리말은 영어로 쓰시오.

1 silver ____________
2 tension ____________
3 multiply ____________
4 owe ____________
5 rubber ____________
6 4분의 1, 15분 ____________
7 먹이, 먹이를 주다 ____________
8 …에게 안부를 전하다 ____________
9 … 덕분에 ____________
10 그 경우에는 ____________

B 빈칸에 알맞은 단어를 [보기]에서 골라 쓰시오. (필요시 형태를 고칠 것)

보기	sweet	hire	shell	silk	position

11 Sugar has a ____________ taste.
설탕은 단 맛을 가지고 있다.

12 My boss ____________ a new clerk.
사장님이 새로운 점원을 고용했다.

13 I saw pretty ____________ on the beach.
나는 해변에서 예쁜 조개껍데기들을 보았다.

14 The players were in their ____________.
선수들은 각자 제 위치를 지켰다.

15 The Chinese exported ____________ to the West.
중국 사람들은 비단을 서양에 수출했다.

C 설명에 맞는 단어를 찾아 선으로 연결하시오.

16 feed •
17 shell •
18 rubber •
19 quarter •
20 tension •

• ⓐ a material that stretches easily
• ⓑ one of four equal parts
• ⓒ to give food to a person or animal
• ⓓ a feeling of nervous anxiety, worry or pressure
• ⓔ the hard outer part that covers and protects an egg, nut or seed

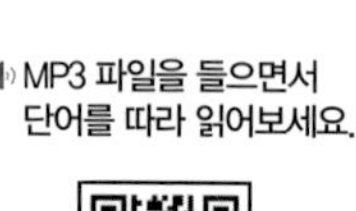
MP3 파일을 들으면서 단어를 따라 읽어보세요.

---

871 **rush** [rʌʃ]

rush hour
혼잡 시간대

동 돌진하다, 서두르다 (= hurry)

He **rushed** home without stopping.
그는 쉬지 않고 집으로 ______.

발음주의

872 **period** [píəriəd]

명 기간

New employees must go though a training **period**.
새로운 직원들은 반드시 훈련 ______을 거쳐야만 한다.

---

873 **license** [láisəns]

driver's license
운전면허증

명 면허(증)

I got my driver's **license** yesterday.
나는 어제 운전 ______을 땄다.

874 **thin**
[θin]

형 얇은; (몸이) 마른

He is tall and thin.
그는 키가 크고 ______.

↔ thick 형 두꺼운

875 **sight**
[sait]

eyesight test
시력 검사

명 시력; 시야

I have poor sight.
나는 ______이 나쁘다.

+ see 동 (눈으로) 보다

철자주의

876 **journal**
[dʒə́:rnl]

명 잡지 (= magazine), 정기 간행물

I bought some journals in the bookstore.
나는 서점에서 ______ 몇 권을 샀다.

877 **remain**
[riméin]

동 여전히 …이다, 남다

The situation remains unchanged.
그 상황은 바뀌지 않고 그대로 ______.

+ remains 명 유물

878 **series**
[síəri:z]

명 연속물, 시리즈

I like "*Harry Potter*" series very much.
나는 「해리포터」 ______를 매우 좋아한다.

879 **boss**
[bɔ:s]

명 우두머리 (= captain), 상사

My boss is talking with his secretary.
나의 ______가 그의 비서와 이야기를 하고 있다.

880 **swing**
[swiŋ]
swing – swung – swung

명 그네
동 흔들리다 (= sway)

She rocked a swing back and forth.
그녀는 ______를 타고 앞뒤로 움직였다.

881 **bald**
[bɔːld]

형 대머리의

My father is bald, but he is handsome.
나의 아버지는 ______지만 멋있다.

+ baldness 명 대머리

철자주의

882 **process**
[prάses]

명 과정 (= procedure), 진행

He explained the process of making paper.
그는 종이의 제조 ______을 설명했다.

+ proceed 동 나아가다, 진행하다

883 **in the middle of**

…의 가운데

A fountain is in the middle of the pond.
분수가 연못 ______ 있다.

884 **so far**

지금까지 (= until now)

He has written only one novel so far.
그는 ______ 단 한 권의 소설만을 썼다.

885 **keep … in mind**

…을 명심하다

Keep this advice in mind.
이 충고를 ______.

Get More sight의 다양한 뜻

1 명 시력
He has bad **sight**.
그는 시력이 나쁘다.

2 명 시야
It's getting out of **sight**.
그것은 점점 시야에서 사라지고 있다.

DAY 59 Wrap-up Test

ANSWERS p. 291

A 영어는 우리말로, 우리말은 영어로 쓰시오.

1 period ____________
2 series ____________
3 license ____________
4 so far ____________
5 sight ____________
6 그네, 흔들리다 ____________
7 잡지, 정기간행물 ____________
8 …의 가운데 ____________
9 얇은, (몸이) 마른 ____________
10 …을 명심하다 ____________

B 빈칸에 알맞은 단어를 [보기]에서 골라 쓰시오. (필요시 형태를 고칠 것)

보기	rush	bald	remain	boss	process

11 He shaved his head ____________.
그는 머리를 빡빡 깎았다.

12 The scar ____________ on his face.
그 상처가 그의 얼굴에 남아 있다.

13 My ____________ told me not to be late.
나의 상사는 내게 늦지 말라고 말했다.

14 They ____________ to the scene of an accident.
그들은 사고 현장으로 서둘러 갔다.

15 The ____________ of making cars is not simple.
자동차를 만드는 과정은 간단하지 않다.

C 설명하는 단어를 [보기]에서 골라 쓰시오.

보기	period	journal	sight	swing	rush

16 a length of time ____________
17 the physical ability to see ____________
18 to go or do something very quickly ____________
19 to move easily from one side to the other ____________
20 a magazine or newspaper which is published regularly ____________

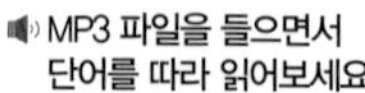
MP3 파일을 들으면서
단어를 따라 읽어보세요.

886 □□ **lord**
[lɔːrd]

명 주인 (= master), 군주

Man is the lord of all creation.
인간은 만물의 ______ 이다.

The Lord of the Rings
반지의 제왕

887 □□ **shock**
[ʃɑk]

명 충격

The news was a shock to her.
그 뉴스는 그녀에게 ______ 이었다.

+ shocking 형 충격적인

888 □□ **repeat**
[ripíːt]

동 되풀이하다, 반복하다

Try not to repeat the same mistake.
같은 실수를 ______ 않도록 노력하라.

+ repetition 명 반복
repeatedly 부 되풀이하여

889 **invite**
[inváit]

동 초대하다

I **invited** my friends to my birthday party.
나는 내 친구들을 내 생일파티에 ______.

+ invitation 명 초대, 초대장

890 **notice**
[nóutis]

notice board
게시판

동 알아차리다, 주의하다
명 알림

I **noticed** nothing unusual in her behavior.
나는 그녀의 행동에서 별다른 점을 ______ 못했다.

+ noticeable 형 눈에 띄는

철자주의

891 **value**
[vǽlju:]

명 가치 (= worth)

Its **value** cannot be measured by money.
그것의 ______는 돈으로 측정될 수 없다.

+ valuable 형 가치 있는

892 **single**
[síŋgl]

명 한 개
형 한 개의 (= one); 독신의

A **single** bulb lit the hall.
전구 ______가 복도를 밝혔다.

발음주의

893 **rare**
[rɛər]

형 드문 (= uncommon); 진귀한

It is **rare** to see him here.
여기서 그를 보는 일은 ______.

+ rarely 부 좀처럼 … 않다
↔ common 형 흔한

894 **prison**
[prízn]

명 감옥

a **prison** without bars
창살 없는 ______

+ prisoner 명 죄수

895 **pale**
[peil]

형 창백한; (색이) 엷은

You look **pale**. Are you OK?
너 ______ 보여. 괜찮니?

896 **policy**
[pɑ́ləsi]

policy maker
정책 입안자

명 정책

Honesty is the best **policy**.
정직은 최선의 ______ 이다.

897 **hell**
[hel]

명 지옥

A war makes our life **hell**.
전쟁은 우리의 삶을 ______ 으로 만든다.

↔ heaven 명 천국

898 **on the other hand**

반면에, 한편으로는

It is dangerous. **On the other hand**, it is worth trying.
그것은 위험하다. ______ , 해 볼 만한 가치가 있다.

899 **run away**

도망치다

As soon as I saw him, he **ran away**.
내가 그를 보자마자 그는 ______ .

900 **in order to**

…하기 위해서 (= so as to)

I studied hard **in order to** pass the exam.
나는 시험에 통과하기 ______ 열심히 공부했다.

Get More notice의 다양한 뜻

1 동 주의하다, 주목하다
Notice how to make it.
그것을 어떻게 만드는지에 주목하시오.

2 동 통보하다
He was **noticed** to quit.
그는 그만두라는 통지를 받았다.

DAY 60 Wrap-up Test

ANSWERS p. 291

A 영어는 우리말로, 우리말은 영어로 쓰시오.

1 lord ____________
2 single ____________
3 hell ____________
4 invite ____________
5 rare ____________
6 창백한, (색이) 옅은 ____________
7 되풀이하다, 반복하다 ____________
8 반면에, 한편으로는 ____________
9 도망치다 ____________
10 …하기 위해서 ____________

B 빈칸에 알맞은 단어를 [보기]에서 골라 쓰시오. (필요시 형태를 고칠 것)

보기	shock	invite	value	policy	notice

11 The news gave me a great ____________.
그 뉴스는 나에게 엄청난 충격을 주었다.

12 I ____________ that he was coming to me.
나는 그가 내게 다가오고 있는 것을 알아챘다.

13 The real ____________ of life lies in happiness.
인생의 진정한 가치는 행복에 있다.

14 How many will you ____________ to your house?
몇 명을 너희 집에 초대할 거니?

15 Most people agreed to the government's ____________.
대부분의 사람들은 정부의 정책에 동의했다.

C 설명에 맞는 단어를 찾아 선으로 연결하시오.

16 hell • • ⓐ very uncommon
17 pale • • ⓑ to ask someone to come
18 lord • • ⓒ a man of high social rank
19 rare • • ⓓ having an almost white face
20 invite • • ⓔ the place where bad people go when they die

DAY 56~60 Review Test

ANSWERS p. 291

다음 우리말에 맞게 빈칸에 주어진 철자로 시작하는 단어를 쓰시오.

DAY 56

1 목재 구조물 a wooden s________
2 원어민 the n________ speaker
3 똑똑히 발음하다 p________ clearly
4 음량 조절 v________ control
5 실용영어 p________ English
6 보병 a foot s________

DAY 57

7 백기 a white f________
8 기적을 행하다 p________ miracles
9 강도 시험 a s________ test
10 죽을 만큼 놀란 f________ to death
11 남자끼리의 단결 m________ bonding
12 과녁을 겨냥하다 aim at a t________

DAY 58

13 일꾼을 고용하다 h________ a worker
14 껍데기를 벗다 cast the s________
15 긴장을 완화하다 relax the t________
16 고무 장화 r________ boots
17 은방울 a s________ bell
18 단꿈 a s________ dream

DAY 59

19 어려운 과정 a difficult p________
20 우기(雨期) a rainy p________
21 시력이 좋다 have good s________
22 연속하여 in s________
23 월간 잡지 a monthly j________
24 면허증을 얻다 get a l________

DAY 60

25 문화 충격 the culture s________
26 탈옥 a p________ break
27 게시판 the n________ board
28 교육의 가치 the v________ of education
29 외교 정책 a foreign p________
30 희귀품 a r________ item

기본 전치사 10 about

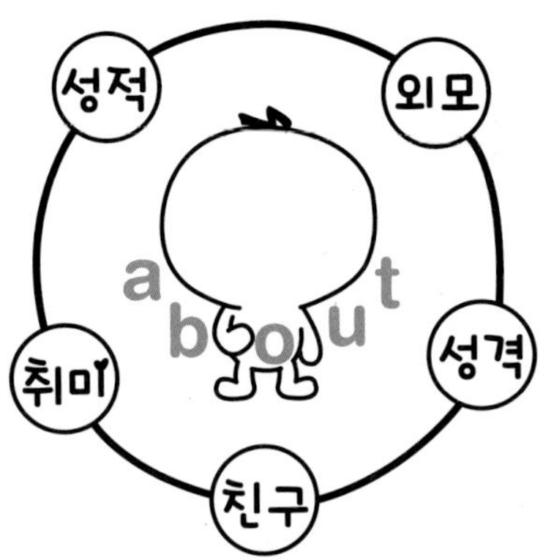

전치사 살펴보기

전치사 about은 기본적으로 '…에 대해서, …의 주변에'라는 뜻을 갖고 있습니다.

관계 (…에 대해서)	주변 (…의 주변)
about me 나에 대해서	**about** here 근처에
about the book 그 책에 대해서	**about** the door 문가에
about the plan 그 계획에 대해서	**about** the park 공원 주변에
about the matter 그 문제에 대해서	**about** the bank 은행 주변에
about this exam 이번 시험에 대해서	**about** the campfire 모닥불 주변에

문장 속에서 보는 전치사

We walked **about** the park. 우리는 공원 주변을 거닐었다.

Don't ask me **about** the matter. 그 문제에 대해서 내게 묻지 마라.

Did you see anybody **about** here? 너는 이 근처에서 누군가를 보았니?

We gathered **about** the campfire. 우리는 모닥불 주변으로 모여들었다.

He didn't say anything **about** me. 그는 나에 대해서 아무 말도 하지 않았다.

ANSWERS

ANSWERS

DAY 01 Wrap-up Test

p.11

A 1 충고, 조언 2 절약하다 3 주 4 많은 5 …을 보다 6 exercise 7 shut 8 thing 9 active 10 be good at

B 11 usually 12 also 13 special 14 important 15 During

C 16 week 17 save 18 active 19 exercise 20 advice

DAY 02 Wrap-up Test

p.15

A 1 문화 2 행운 3 언어 4 …하러 가다 5 (둘 사이에) 서로 서로 6 must 7 have fun 8 own 9 will 10 believe

B 11 leave 12 happen 13 care 14 part 15 popular

C 16 popular 17 luck 18 language 19 culture 20 believe

DAY 03 Wrap-up Test

p.19

A 1 방과 후에 2 모두, 무엇이든 3 …을 따라서 4 경연, 경쟁 5 …로 가는 도중에 6 block 7 take care of 8 interested 9 sign 10 strange

B 11 grade 12 still 13 course 14 order 15 subjects

C 16 strange 17 block 18 contest 19 subject 20 sign

DAY 04 Wrap-up Test

p.23

A 1 선물, 재능 2 제복, 유니폼 3 중심, 중앙 4 …에 좋다 5 걸음, 단계, 밟다 6 message 7 newspaper 8 real 9 find out 10 grow up

B 11 tasted 12 rules 13 introduce 14 healthy 15 gift

C 16 present 17 introduction 18 real 19 lose 20 health

DAY 05 Wrap-up Test
p. 27

Ⓐ 1 최후의, 결국의 2 역사 3 이웃, 이웃 사람 4 경기, 시합 5 … 앞에 6 follow 7 report 8 ice 9 live in 10 pick up

Ⓑ 11 shapes 12 reports 13 simple 14 excited 15 across

Ⓒ 16 ice 17 neighbor 18 history 19 match 20 nature

DAY 01~05 Review Test
p. 28

1 active 2 shut 3 exercise 4 week 5 advice 6 special 7 language 8 culture 9 believe 10 luck 11 popular 12 own 13 course 14 grade 15 strange 16 sign 17 contest 18 order 19 rule 20 uniform 21 newspaper 22 taste 23 message 24 gift 25 across 26 final 27 history 28 match 29 simple 30 nature

DAY 06 Wrap-up Test
p. 33

Ⓐ 1 상, 상품 2 자랑스러운 3 화난, 당황한 4 휴대전화 5 유용한, 쓸모 있는 6 festival 7 wait for 8 take a picture 9 through 10 put on

Ⓑ 11 afraid 12 mind 13 else 14 Someone 15 without

Ⓒ 16 festival 17 useful 18 upset 19 prize 20 through

DAY 07 Wrap-up Test
p. 37

Ⓐ 1 오르다, 등반하다 2 막대기, 지팡이 3 샤워, 소나기 4 회원, 일원 5 적어도, 최소한 6 be from 7 set 8 all the time 9 add 10 cheer

Ⓑ 11 forest 12 ever 13 behind 14 even 15 village

Ⓒ 16 stick 17member 18 forest 19 cheer 20 climb

DAY 08 Wrap-up Test

p.41

A 1 안전한 2 일어나다, 기상하다 3 외국의 4 두 번(2회) 5 실현되다 6 cross 7 score 8 focus 9 partner 10 cut down

B 11 tradition 12 solve 13 meal 14 invented 15 grammar

C 16 safety 17 solution 18 dangerous 19 native 20 create

DAY 09 Wrap-up Test

p.45

A 1 빌리다 2 목표, 목적 3 문장 4 미래에 5 우주, 공간 6 enter 7 help with 8 text 9 fry 10 look around

B 11 against 12 field 13 trick 14 facts 15 sale

C 16 fry 17 field 18 enter 19 borrow 20 space

DAY 10 Wrap-up Test

p.49

A 1 ~을 찾다 2 그러나 3 실수, 잘못, 착각하다 4 돈을 벌다 5 현명한 6 look like 7 project 8 prepare 9 mistake 10 hall

B 11 secrets 12 shout 13 waste 14 While 15 habits

C 16 tower 17 mistake 18 habit 19 look for 20 secret

DAY 06~10 Review Test

p.50

1 useful 2 mind 3 without 4 put on 5 prize 6 Festival 7 forest 8 village 9 set 10 shower 11 climb 12 member 13 twice 14 meal 15 score 16 safe 17 tradition 18 foreign 19 sale 20 sentence 21 space 22 fact 23 field 24 goal 25 secret 26 mistake 27 while 28 prepare 29 waste 30 habit

DAY 11 Wrap-up Test

p. 55

A 1 에너지, 힘 2 꺼내다 3 형태, …의 형태로 만들다 4 목욕하다 5 정보 6 imagine 7 lie 8 all over the world 9 everywhere 10 direct

B 11 already 12 blow 13 hole 14 experience 15 guide

C 16 form 17 lie 18 direct 19 energy 20 imagine

DAY 12 Wrap-up Test

p. 59

A 1 놀라운 2 지역, 구역 3 돌려주다 4 …에 대해 생각하다 5 하루 종일 6 roll 7 somebody 8 protect 9 race 10 turn over

B 11 Such 12 Mix 13 price 14 accident 15 list

C 16 mixture 17 incident 18 surprising 19 protection 20 someone

DAY 13 Wrap-up Test

p. 63

A 1 기회 2 요청하다, 청구하다 3 동전 4 선택, 선정 5 …에 관심이 있다 6 bake 7 brave 8 be ready to 9 complete 10 drum

B 11 Everybody 12 dictionary 13 bake 14 celebrated 15 either

C 16 brave 17 chance 18 complete 19 coin 20 character

DAY 14 Wrap-up Test

p. 67

A 1 축구 2 용서, 용서하다 3 그 대신에 4 … 때문에 5 게으른 6 machine 7 fair 8 by the way 9 review 10 fall down

B 11 favor 12 fever 13 memories 14 explain 15 instead

C 16 review 17 perfect 18 fair 19 lazy 20 explain

DAY 15 Wrap-up Test

p. 71

A 1 종 2 앞으로, 앞쪽으로 3 호기심이 강한 4 ~부터 …까지 5 예를 들면 6 band 7 communicate 8 event 9 get off 10 bear

B 11 wonder 12 different 13 collects 14 blind 15 yet

C 16 ⓓ 17 ⓔ 18 ⓒ 19 ⓑ 20 ⓐ

DAY 11~15 Review Test

p. 72

1 lie 2 hole 3 form 4 energy 5 guide 6 experience 7 price 8 race 9 area 10 accident 11 amazing 12 return 13 celebrate 14 choice 15 dictionary 16 chance 17 brave 18 complete 19 fair 20 lazy 21 machine 22 fever 23 memory 24 explain 25 wonder 26 blind 27 different 28 event 29 collect 30 curious

DAY 16 Wrap-up Test

p. 77

A 1 가능한 2 약 3 잡지 4 기름, 석유 5 …에서 나오다 6 note 7 scene 8 raise 9 get over 10 go on

B 11 lend 12 island 13 Regular 14 role 15 main

C 16 message 17 mainly 18 regularity 19 possibility 20 drug

DAY 17 Wrap-up Test

p. 81

A 1 위험한, 위태로운 2 한 쌍의 3 자신 4 바퀴, 수레바퀴 5 사실은 6 go through 7 wrap 8 amuse 9 spell 10 crazy

B 11 terrible 12 views 13 bottom 14 cloth 15 shook

C 16 dangerous 17 self 18 wrap 19 amuse 20 crazy

DAY 18 Wrap-up Test
p. 85

A 1 환경, 주의 2 접다 3 사냥하다 4 소원을 빌다 5 국제적인, 국제 상의 6 hang 7 insect 8 item 9 make friends 10 talk about

B 11 disappeared 12 killed 13 Lift 14 ground 15 dead

C 16 dead 17 item 18 hunt 19 insect 20 environment

DAY 19 Wrap-up Test
p. 89

A 1 환자 2 시 3 …하려고 노력하다 4 비행기 조종사 5 계획, 일정 6 labor 7 mark 8 be poor at 9 social 10 a few

B 11 Nobody 12 sore 13 nation 14 reason 15 sand

C 16 mark 17 pilot 18 schedule 19 poem 20 patient

DAY 20 Wrap-up Test
p. 93

A 1 사발, 공기 2 밀가루 3 판매원, 점원 4 관습, 풍습 5 평범한, 흔한 6 electric 7 back and forth 8 function 9 at the age of 10 take a walk

B 11 treated 12 create 13 throat 14 brain 15 Total

C 16 treatment 17 sum 18 creation 19 electricity 20 uncommon

DAY 16~20 Review Test
p. 94

1 note 2 main 3 role 4 magazine 5 island 6 regular 7 self 8 bottom 9 cloth 10 dangerous 11 shake 12 wrap 13 ground 14 fold 15 international 16 item 17 lift 18 hang 19 sand 20 mark 21 social 22 schedule 23 patient 24 nation 25 brain 26 flour 27 total 28 common 29 custom 30 electric

DAY 21 Wrap-up Test

p. 99

Ⓐ 1 기체, 휘발유 2 군중 3 … 출신이다 4 상징, 표시 5 …을 꿈꾸다 6 above 7 calm 8 break into 9 skin 10 lamp

Ⓑ 11 trouble 12 spread 13 appears 14 produces 15 pleasure

Ⓒ 16 symbol 17 pleasure 18 gas 19 calm 20 skin

DAY 22 Wrap-up Test

p. 103

Ⓐ 1 배경 2 농담 3 심각한, 진지한 4 입맞춤, 입맞춤하다 5 실제로, 실은 6 golden 7 cry out 8 serve 9 be bad for 10 be late for

Ⓑ 11 interview 12 favorite 13 expression 14 public 15 served

Ⓒ 16 stage 17 golden 18 public 19 background 20 joke

DAY 23 Wrap-up Test

p. 107

Ⓐ 1 비누 2 놀라운, 굉장한 3 모험 4 안전 5 …로 유명하다 6 tear 7 amount 8 title 9 by -ing 10 blow up

Ⓑ 11 pity 12 novel 13 asleep 14 yard 15 express

Ⓒ 16 garden 17 fiction 18 expression 19 safe 20 unbelievable

DAY 24 Wrap-up Test

p. 111

Ⓐ 1 전체의, 완전한 2 순간, 잠깐 3 사무실, 회사 4 숙제, 과제 5 …에서 태어나다 6 heat 7 stress 8 print 9 between ~ and … 10 care about

Ⓑ 11 reached 12 shot 13 Stretch 14 tail 15 huge

Ⓒ 16 moment 17 heat 18 assignment 19 stress 20 tail

DAY 25 Wrap-up Test
p. 115

A 1 생산품, 산출물 2 연결하다 3 …보다 아래에 4 관광, 여행하다 5 ~를 …로 바꾸다 6 friendship 7 rope 8 search 9 be angry with 10 fall in love with

B 11 promise 12 stamps 13 since 14 shine 15 Human

C 16 friendship 17 rope 18 product 19 tour 20 stamp

DAY 21~25 Review Test
p.116

1 spread 2 pleasure 3 calm 4 trouble 5 gas 6 skin 7 interview 8 expression 9 golden 10 background 11 public 12 stage 13 pity 14 incredible 15 novel 16 express 17 safety 18 yard 19 whole 20 print 21 moment 22 office 23 stress 24 tail 25 search 26 connect 27 stamp 28 promise 29 tour 30 rope

DAY 26 Wrap-up Test
p. 121

A 1 의견 2 식이요법, 음식물 3 감기에 걸리다 4 검사하다 5 …을 향하여 6 fit 7 avenue 8 be worried about 9 service 10 be proud of

B 11 married 12 desert 13 opinion 14 weigh 15 thick

C 16 diet 17 examine 18 avenue 19 fit 20 bone

DAY 27 Wrap-up Test
p. 125

A 1 선반 2 확인하다, 확신하다 3 평평한, 납작한 4 연장, 도구 5 …을 고대하다 6 sudden 7 copy 8 medium 9 focus on 10 beat

B 11 discovered 12 envelope 13 sunny 14 divides 15 respect

C 16 beat 17 medium 18 discover 19 copy 20 tool

DAY 28 Wrap-up Test

p. 129

A 1 편안한 2 주인 3 도전, 도전하다 4 궁전 5 제과점 6 mention 7 factory 8 in danger 9 laugh at 10 get ready for

B 11 impossible 12 several 13 net 14 captain 15 seem

C 16 mention 17 comfortable 18 challenge 19 palace 20 host

DAY 29 Wrap-up Test

p. 133

A 1 천둥, 천둥 치다 2 직무, 일 3 어리석은 4 폭풍, 폭풍이 일다 5 잠자리에 들다 6 crack 7 look after 8 make a decision 9 backpack 10 globe

B 11 system 12 suits 13 recorded 14 burnt 15 college

C 16 ⓒ 17 ⓑ 18 ⓔ 19 ⓐ 20 ⓓ

DAY 30 Wrap-up Test

p. 137

A 1 감각, 느끼다 2 힘, 능력 3 여행 4 잠시 동안 5 …위에, …에 6 noon 7 rude 8 look up 9 go away 10 beauty

B 11 tapped 12 tight 13 trust 14 managed 15 extra

C 16 doubt 17 loose 18 polite 19 feeling 20 trip

DAY 26~30 Review Test

p. 138

1 bone 2 opinion 3 diet 4 thick 5 service 6 examine 7 copy 8 beat 9 sunny 10 flat 11 sudden 12 envelope 13 net 14 palace 15 comfortable 16 challenge 17 factory 18 several 19 burn 20 system 21 record 22 suit 23 thunder 24 crack 25 power 26 extra 27 sense 28 rude 29 tight 30 beauty

DAY 31 Wrap-up Test

p. 143

A 1 교환하다, 환전하다, 교환 2 모으다, 수확하다 3 화랑, 미술관 4 (액체나 공기에) 뜨다 5 소음을 내다, 떠들다 6 lose weight 7 rise 8 give up 9 university 10 lead

B 11 similar 12 smoke 13 Silent 14 topic 15 positive

C 16 follow 17 sink 18 silence 19 collect 20 different

DAY 32 Wrap-up Test

p. 147

A 1 필요한 2 상황 3 개울, 흐름 4 교육 5 용서하다 6 throw away 7 unit 8 nest 9 play with 10 one by one

B 11 neither 12 Praise 13 suggest 14 pollution 15 Boil

C 16 stream 17 necessary 18 nest 19 education 20 unit

DAY 33 Wrap-up Test

p. 151

A 1 결과, 결과로 나타나다 2 공포, 공포의 3 감사히 여기는 4 적 5 ~하는 데 …를 쓰다 6 take a look at 7 peace 8 war 9 content 10 wish … good luck

B 11 mayor 12 activity 13 pour 14 birth 15 spend

C 16 result 17 peace 18 enemy 19 Horror 20 grateful

DAY 34 Wrap-up Test

p. 155

A 1 결국 2 조정하다, 곡조 3 값비싼 4 울퉁불퉁한, 험난한 5 위 아래로 6 degree 7 western 8 bill 9 context 10 these days

B 11 alive 12 fail 13 tiny 14 wild 15 cloudy

C 16 failure 17 little 18 alive 19 smooth 20 expensive

DAY 35 Wrap-up Test

p. 159

Ⓐ 1 문제, 물질 2 간식 3 알리다 4 큰 소리로 5 (꽃이) 피다, 꽃 6 capital 7 most of all 8 pack 9 next to 10 throw a party

Ⓑ 11 vote 12 seed 13 begging 14 victory 15 wedding

Ⓒ 16 matter 17 announce 18 capital 19 pack 20 snack

DAY 31~35 Review Test

p. 160

1 Gallery 2 positive 3 smoke 4 lead 5 topic 6 similar 7 pollution 8 education 9 nest 10 situation 11 unit 12 boil 13 horror 14 enemy 15 peace 16 birth 17 grateful 18 War 19 rough 20 tune 21 bill 22 western 23 wild 24 cloudy 25 capital 26 matter 27 wedding 28 victory 29 beg 30 vote

DAY 36 Wrap-up Test

p. 165

Ⓐ 1 신 2 용기를 북돋우다 3 비록 …일지라도 4 기원 5 거꾸로 6 take a trip 7 valley 8 earn 9 watch out 10 lawyer

Ⓑ 11 conversation 12 resources 13 sheet 14 images 15 pet

Ⓒ 16 earn 17 pet 18 origin 19 valley 20 lawyer

DAY 37 Wrap-up Test

p. 169

Ⓐ 1 결점, 잘못 2 신호, 징조 3 모으다 4 가정하다 5 ~가 …로 변하다 6 bend 7 press 8 comic 9 discuss 10 stay up all night

Ⓑ 11 allowed 12 drug 13 screened 14 marine 15 muscles

Ⓒ 16 comic 17 press 18 fault 19 signal 20 discuss

DAY 38 Wrap-up Test

p. 173

A 1 오류, 실수 2 차고 3 …을 뽑다 4 운동하다 5 혼잣말하다 6 pain 7 handle 8 path 9 condition 10 giant

B 11 rented 12 spill 13 fence 14 steam 15 certain

C 16 garage 17 Pain 18 giant 19 error 20 handle

DAY 39 Wrap-up Test

p. 177

A 1 지키다, 호위병 2 가까운, 가까이 3 사람, 인간 4 도둑 5 …을 위해 일하다, …에서 일하다 6 march 7 stay away 8 lovely 9 take away 10 century

B 11 equals 12 wings 13 department 14 height 15 reply

C 16 guard 17 century 18 near 19 lovely 20 thief

DAY 40 Wrap-up Test

p. 181

A 1 기쁨 2 대양 3 …에 참석하다 4 나타나다 5 몹시 …하고 싶어 하다 6 on weekends 7 classic 8 among 9 repair 10 wave

B 11 state 12 support 13 community 14 admire 15 distance

C 16 pleasure 17 sea 18 respect 19 assist 20 classical

DAY 36~40 Review Test

p. 182

1 conversation 2 image 3 valley 4 origin 5 pet 6 sheet 7 signal 8 drug 9 bend 10 marine 11 muscle 12 fault 13 handle 14 path 15 error 16 fence 17 steam 18 pain 19 guard 20 march 21 reply 22 thief 23 equal 24 century 25 state 26 distance 27 community 28 classic 29 repair 30 Ocean

DAY 41 Wrap-up Test

p. 187

A 1 장소의, 지방의 2 …을 제외하고 3 누구든지, 아무도 4 긴장한, 팽팽한 5 …에서 멀다 6 manner 7 at first 8 clever 9 cash 10 count down

B 11 offered 12 courage 13 normal 14 importance 15 flashes

C 16 cash 17 tense 18 local 19 clever 20 courage

DAY 42 Wrap-up Test

p. 191

A 1 결정하다 2 가루, 분말 3 잡다, 걸리다 4 주인, 지배자 5 기타 등등 6 research 7 jewel 8 lay 9 come along with 10 be similar to

B 11 mild 12 poor 13 guests 14 business 15 blood

C 16 mild 17 decide 18 powder 19 jewel 20 research

DAY 43 Wrap-up Test

p. 195

A 1 결과, 효과, 영향 2 진정하다 3 희망하다, 희망 4 꾸러미, 소포 5 그 결과로서 6 realize 7 branch 8 climate 9 major 10 be different from

B 11 grave 12 caused 13 behavior 14 grand 15 pattern

C 16 effect 17 climate 18 realize 19 branch 20 major

DAY 44 Wrap-up Test

p. 199

A 1 특히, 유달리 2 연안, 해안 3 조사하다, 검토하다 4 토대, 기초 5 실수로 6 mud 7 medical 8 pure 9 cough 10 be full of

B 11 neat 12 raincoat 13 castle 14 occasion 15 lonely

C 16 ⓓ 17 ⓒ 18 ⓔ 19 ⓐ 20 ⓑ

DAY 45 Wrap-up Test

p. 203

A 1 철, 쇠, 다리미 2 강한, 힘 있는 3 고장 나다, 파괴하다 4 해악, 손해 5 망치 6 found 7 fellow 8 be opposite to 9 care for 10 engine

B 11 metals 12 exact 13 relationship 14 balance 15 backward

C 16 powerful 17 relationship 18 iron 19 hammer 20 engine

DAY 41~45 Review Test

p. 204

1 courage 2 offer 3 cash 4 normal 5 manner 6 clever 7 jewel 8 blood 9 mild 10 business 11 master 12 guest 13 cause 14 effect 15 branch 16 pattern 17 grand 18 grave 19 medical 20 castle 21 mud 22 coast 23 cough 24 pure 25 balance 26 iron 27 metal 28 engine 29 harm 30 backward

DAY 46 Wrap-up Test

p. 209

A 1 (긍정문) 어디든지, (부정문) 아무 데도 2 떨어져, 산산이 3 위원단, 널빤지 4 북쪽의 5 불어 끄다 6 congratulate on 7 pause 8 be sure about 9 mad 10 bless

B 11 nails 12 harbor 13 bank 14 death 15 fuel

C 16 mad 17 panel 18 pause 19 bless 20 nail

DAY 47 Wrap-up Test

p. 213

A 1 독특한, 유일한 2 색인 3 최선을 다하다 4 고려하다, …라고 여기다 5 전투 6 wood 7 point 8 double 9 go mad 10 feel free to

B 11 temperature 12 accept 13 wood 14 tough 15 learn

C 16 battle 17 temperature 18 gun 19 unique 20 index

DAY 48 Wrap-up Test

p.217

A 1 … 이내에 2 솜, 면화, 면의 3 걱정하는, 열망하는 4 틀, 액자 5 내뿜다 6 awake 7 swim 8 feel sorry for 9 bury 10 hold on

B 11 gentle 12 tongue 13 till 14 bury 15 benefits

C 16 anxious 17 gentle 18 benefit 19 within 20 frame

DAY 49 Wrap-up Test

p.221

A 1 흐르다 2 (서로) 같은 3 관, 통 4 경제의 5 …을 졸업하다 6 force 7 beyond 8 cut out 9 ignore 10 for a while

B 11 needle 12 furniture 13 control 14 technology 15 bites

C 16 beyond 17 ignore 18 force 19 flow 20 tube

DAY 50 Wrap-up Test

p.225

A 1 실망시키다 2 엄지손가락 3 구성하다 4 숨, 호흡 5 …을 쫓아버리다 6 hardly 7 appoint 8 beside 9 for the first time 10 get on

B 11 worth 12 dust 13 flood 14 Sound 15 edit

C 16 beside 17 hardly 18 breath 19 thumb 20 appoint

DAY 46~50 Review Test

p.226

1 bank 2 northern 3 fuel 4 death 5 apart 6 mad 7 temperature 8 tough 9 index 10 double 11 gun 12 battle 13 tongue 14 benefit 15 gentle 16 cotton 17 frame 18 anxious 19 economic 20 technology 21 furniture 22 bite 23 tube 24 force 25 edit 26 flood 27 compose 28 breath 29 sound 30 thumb

DAY 51 Wrap-up Test

p. 231

A 1 존재하다 2 아픔, 통증, 아프다 3 아마도 4 상표 5 설거지하다 6 trend 7 from time to time 8 heaven 9 get to 10 crash

B 11 plain 12 dirty 13 line 14 deep 15 universe

C 16 string 17 hurt 18 shallow 19 hell 20 perhaps

DAY 52 Wrap-up Test

p. 235

A 1 형태, 숫자 2 곡물 3 다치다 4 뒤쳐지다 5 기계, 도구 6 court 7 bother 8 edge 9 wire 10 for sale

B 11 awful 12 compare 13 sorrow 14 transferred 15 Deaf

C 16 ⓐ 17 ⓒ 18 ⓑ 19 ⓓ 20 ⓔ

DAY 53 Wrap-up Test

p. 239

A 1 저울 2 치다, 파업 3 끄다 4 차라리, 오히려 5 삼키다 6 track 7 corner 8 limit 9 worry about 10 instead of

B 11 prays 12 efforts 13 Success 14 rubbed 15 skills

C 16 strike 17 scale 18 corner 19 limit 20 swallow

DAY 54 Wrap-up Test

p. 243

A 1 젊음, 젊은이 2 왕국 3 길이 4 (분무기로) 뿌리다, 분무기 5 공통의 6 soil 7 use 8 smile at 9 section 10 one another

B 11 shore 12 mystery 13 plenty 14 raw 15 Speed

C 16 soil 17 length 18 youth 19 section 20 spray

DAY 55 Wrap-up Test

p. 247

A 1 승객 2 줄, 열, (배를) 젓다 3 (여)조카 4 뿌리, 근원 5 과학적인 6 punish 7 stuff 8 make up 9 yell at 10 keep in touch

B 11 sour 12 society 13 provides 14 narrowed 15 knowledge

C 16 row 17 niece 18 passenger 19 root 20 punish

DAY 51~55 Review Test

p. 248

1 trend 2 plain 3 ache 4 deep 5 brand 6 heaven 7 transfer 8 wire 9 deaf 10 instrument 11 edge 12 court 13 skill 14 effort 15 scale 16 limit 17 Kingdom 18 success 19 speed 20 shore 21 mystery 22 section 23 raw 24 soil 25 society 26 row 27 root 28 knowledge 29 passenger 30 scientific

DAY 56 Wrap-up Test

p. 253

A 1 계절 2 …에서 태어난, 타고난, 원주민 3 비록 …일지라도 4 경고하다 5 잠그다, 자물쇠 6 volume 7 structure 8 try on 9 over and over 10 pass by

B 11 surrounded 12 warned 13 soldiers 14 pronounce 15 Practical

C 16 season 17 native 18 lock 19 volume 20 structure

DAY 57 Wrap-up Test

p. 257

A 1 과녁, 표적 2 수행하다, 공연하다 3 (남)조카 4 힘 5 깃발 6 sink 7 fog 8 shake hands with 9 write down 10 take part in

B 11 male 12 kicked 13 shadow 14 frightened 15 various

C 16 female 17 shade 18 power 19 scared 20 join

DAY 58 Wrap-up Test
p. 261

A 1 은 2 긴장 3 곱하다, 증가시키다 4 빛지고 있다 5 고무 6 quarter 7 feed 8 say hello to 9 thanks to 10 in that case

B 11 sweet 12 hired 13 shells 14 position 15 silk

C 16 ⓒ 17 ⓔ 18 ⓐ 19 ⓑ 20 ⓓ

DAY 59 Wrap-up Test
p. 265

A 1 기간 2 연속물, 시리즈 3 면허(증) 4 지금까지 5 시력, 시야 6 swing 7 journal 8 in the middle of 9 thin 10 keep … in mind

B 11 bald 12 remains 13 boss 14 rushed 15 process

C 16 period 17 sight 18 rush 19 swing 20 journal

DAY 60 Wrap-up Test
p. 269

A 1 주인, 군주 2 한 개, 한 개의, 독신의 3 지옥 4 초대하다 5 드문, 진귀한 6 pale 7 repeat 8 on the other hand 9 run away 10 in order to

B 11 shock 12 noticed 13 value 14 invite 15 policy

C 16 ⓔ 17 ⓓ 18 ⓒ 19 ⓐ 20 ⓑ

DAY 56~60 Review Test
p. 270

1 structure 2 native 3 pronounce 4 volume 5 practical 6 soldier 7 flag 8 perform 9 strength 10 frightened 11 male 12 target 13 hire 14 shell 15 tension 16 rubber 17 silver 18 sweet 19 process 20 period 21 sight 22 series 23 journal 24 license 25 shock 26 prison 27 notice 28 value 29 policy 30 rare

INDEX

A

B

C

D

E

F

G

H

I

J

K

L

M

N

O

P

Q

R

T